Insieme

© Copyright 1995
by La Nuova Italia Editrice,
Scandicci (Firenze)
Printed in Italy
1ª edizione: dicembre 1994

ISBN 88-221-1422-1

Stampa: Sograte, Città di Castello
(Perugia)

Realizzazione grafica:
C.D. & V., Firenze
Progetto grafico e copertina:
Marco Capaccioli
Impaginazione computerizzata,
testo, immagini e disegni:
C. D. & V., Firenze

Graziella Favaro
Gilberto Bettinelli
Ernestina Piccardi

Insieme

Corso di italiano
per stranieri

La Nuova Italia

Presentazione

INSIEME è un testo di italiano seconda lingua, di livello iniziale e intermedio, destinato ad adulti e a ragazzi stranieri che si trovano a vivere in Italia per ragioni diverse: lavoro, immigrazione, per motivi familiari o di rifugio politico, e altri ancora.

È quindi uno strumento per l'accoglienza, che accompagna e sostiene l'inserimento di chi viene da lontano e deve entrare nel nuovo mondo, usare la sua lingua per muoversi, lavorare, incontrarsi, studiare, esprimere i bisogni legati alla vita quotidiana, raccontare, informarsi, esprimere il proprio vissuto, ecc.

L'italiano viene presentato in contesti comunicativi autentici e in situazioni ricorrenti, attraverso gli usi reali, in qualche modo ripercorrendo le «tappe» e il cammino dell'inserimento e dell'integrazione.

Il testo contiene le funzioni linguistiche e le nozioni principali dell'italiano; propone i contenuti grammaticali in una sequenza e progressione legate all'uso. Non vuole quindi essere esaustivo dal punto di vista grammaticale, ma proporre un percorso di riflessione (e di eventuale auto-correzione) sulle strutture che vengono apprese anche in situazioni di acquisizione spontanea.

Sollecita un lavoro sistematico sulle quattro abilità (ascoltare, parlare, leggere, scrivere) e presenta informazioni, notizie e documenti autentici sulla realtà di immigrazione.

Il testo è strutturato in unità didattiche. Ogni unità si articola in sei momenti:

• viene presentato il testo di apertura che può essere costituito da un dialogo, un'immagine, un documento informativo, una breve narrazione;

• sono poi proposti il lessico e i modi di dire relativi al tema/contenuto e numerosi stimoli/esercitazioni per invitare l'allievo a prendere la parola e a esprimersi oralmente;

• vengono presentate le strutture grammaticali principali e alcune esercitazioni per la riflessione linguistica;

• seguono le proposte per la lettura e la scrittura soprattutto di carattere funzionale (comprendere e compilare moduli, leggere e rispondere ad annunci, scrivere una lettera o un messaggio per occasioni diverse, fare un elenco o una lista, ecc.);

• ogni unità contiene due pagine di contenuto informativo-culturale nelle quali sono proposti articoli di attualità, documenti autentici, immagini e fotografie che descrivono aspetti significativi della società italiana;

• alla fine di ogni capitolo sono presentate alcune tabelle di riepilogo dei contenuti grammaticali, utili per memorizzare le principali strutture grammaticali.

Il testo è il risultato di una esperienza decennale di insegnamento di italiano seconda lingua agli stranieri immigrati in Italia. Ci auguriamo che possa essere uno strumento utile per l'accoglienza e per l'integrazione dei nuovi cittadini e che contribuisca a promuovere il loro diritto alla lingua e alla comunicazione, non solo negli ambienti del lavoro e delle necessità quotidiane, ma anche al fine di poter esprimere, attraverso il veicolo dell'italiano, la loro cultura.

Graziella Favaro

TITOLO	FUNZIONI LINGUISTICHE E COMUNICATIVE	LESSICO	CONTENUTI GRAMMATICALI	INFORMAZIONI SULL'ITALIA
UNITÀ 1 Chi sei? Di dove sei?	Presentarsi. Salutare. Indicare la nazionalità e la provenienza. Fornire generalità e dati anagrafici. Dire il proprio indirizzo e numero di telefono. Porre domande relative alle generalità. Compilare un modulo anagrafico.	Nazionalità. Numeri fino a 100. Termini di tipo anagrafico. Saluti.	Pronomi personali soggetto; l'uso di "tu" e "lei". I verbi: <u>essere</u>, <u>avere</u>, <u>stare</u>. Chiamarsi al tempo presente indicativo. Le preposizini semplici: <u>in</u>, <u>a</u>, <u>di</u>. Frasi affermative, interrogative, negative.	Dati sulla popolazione Italiana. Carta d'identità dell'Italia.
UNITÀ 2 Scusi, per andare...	Chiedere un'informazione Comprendere espressioni e indicazioni di luogo, direzione e percorso. Comprendere e indicare orari. Chiedere un biglietto.	Espressioni che indicano luogo e posizioni nello spazio. Edifici e servizi per la strada. Mezzi di trasporto. Numeri ordinali.	Il presente indicativo dei verbi regolari. Usi di <u>c'è</u> - <u>ci sono</u>. I verbi: <u>andare</u>, <u>venire</u>, <u>partire</u>, <u>prendere</u>, <u>arrivare</u> al tempo presente indicativo. Le preposizioni semplici.	Biglietti e abbonamenti. La metropolitana.
UNITÀ 3 Che lavoro fai?	Dire la propria attività, indicare professioni e luoghi di lavoro. Indicare azioni ripetute e di routine. Leggere e comprendere un semplice annuncio	Professioni, luoghi di lavoro, materiali e azioni ripetute.	Articoli determinativi e indeterminativi. Articoli e nomi singolari e plurali; maschili e femminili. Le concordanze. I verbi: <u>fare</u> e <u>finire</u> al tempo presente	Dati sull'occupazione in Italia. Il lavoro degli stranieri.
UNITÀ 4 In famiglia.	Indicare i rapporti familiari e di parentela. Presentare il proprio stato civile e la situazione familiare. Indicare il possesso.	La famiglia e i rapporti di parentela.	Uso degli aggettivi possessivi in generale e con i nomi di parentela.	La famiglia in Italia. L'uomo casalingo.
UNITÀ 5 Prendi qualcosa al bar?	Invitare qualcuno, rispondere ad un invito, accettando e rifiutando. Fare un'ordinazione; esprimere gusti e preferenze.	Al bar. I prezzi.	I verbi: <u>bere</u> e <u>piacere</u>. Uso di <u>vorrei</u>. I pronomi personali indiretti. Ripresa delle concordanze	Gli italiani e il bar.

TITOLO	FUNZIONI LINGUISTICHE E COMUNICATIVE	LESSICO	CONTENUTI GRAMMATICALI	INFORMAZIONI SULL'ITALIA
UNITÀ 6 Si va a cena fuori?	Fare un'ordinazione, esprimere gusti, declinare un invito. Leggere e comprendere una ricetta.	I pasti, i cibi, gli alimenti e i prodotti alimentari. I negozi. Pesi, misure e contenitori.	Il verbo dare. Il presente indicativo dei verbi modali. Uso del si impersonale.	Gli italiani a tavola: specialità regionali e nuovi gusti.
UNITÀ 7 Che bel vestito! Posso provarlo?	Indicare un oggetto e le sue caratteristiche. Esprimere un parere. Chiedere il permesso. Chiedere il prezzo.	Abbigliamento e accessori. Colori e altre caratteristiche. Negozi.	Uso di questo, quello, bello. I pronomi diretti lo/la/li/le. Ripresa delle concordanze.	Tempo di saldi. Le vie degli acquisti.
UNITÀ 8 La giornata di...	Indicare e descrivere azioni ripetute Indicare orari e ordine cronologico delle azioni di «routine». Indicare la durata e la frequenza delle azioni.	Azioni e fatti di una giornata di lavoro, della vita in città.	I verbi riflessivi al tempo presente indicativo. Alcuni avverbi di tempo. Le preposizioni articolate a/di/da/con.	Le 24 ore degli italiani. Il diario di una giornata/tipo.
UNITÀ 9 Che tipo è Paolo.	Indicare e descrivere le persone: caratteristiche fisiche (oggettive) e impressioni soggettive. Fare confronti. Indicare azioni in corso di svolgimento.	Caratteristiche fisiche delle persone. Alcune caratteristiche soggettive	Uso di stare con il gerundio Mi sembra/ mi sembrano. I gradi degli aggettivi.	L'Italia: caratteristiche fisiche. Gli italiani: caratteristiche e luoghi comuni.
UNITÀ 10 Cerco casa.	Descrivere la propria abitazione. Leggere e comprendere un annuncio di affitto o di vendita. Scrivere un annuncio di ricerca di un alloggio. Stabilire un appuntamento attraverso il telefono.	La casa: aspetto e parti esterne. Stanze e locali. I mobili.	I verbi: cercare e pagare al tempo indicativo. Le preposizioni articolate. I pronomi diretti con l'espressione ecco (eccolo/eccola/ eccoli/eccole)	La casa: alcuni dati. I servizi per la casa: acqua, gas, luce, telefono.

TITOLO	FUNZIONI LINGUISTICHE E COMUNICATIVE	LESSICO	CONTENUTI GRAMMATICALI	INFORMAZIONI SULL'ITALIA
UNITÀ 11 Che cosa avete fatto domenica scorsa?	Riferire fatti personali al passato. Collocare un'azione nel tempo, esprimere gusti e opinioni. Comprendere annunci di offerte culturali.	Divertimenti, svaghi, sport e passatempi. Il tempo libero.	L'indicativo passato prossimo con l'ausiliare essere e avere. I participi passati regolari, e alcuni participi passati irregolari. Il verbo piacere al tempo passato prossimo. Ripresa dei pronomi personali indiretti.	Il tempo libero degli italiani. Sportivi o tifosi?
UNITÀ 12 Racconto la mia storia.	Riferire fatti ed eventi importanti della propria storia. Collocare azioni ed eventi nel tempo. Comprendere e scrivere messaggi riferiti a eventi e «tappe» della vita. Scrivere un biglietto di auguri.	Le «tappe» della vita. Note autobiografiche. Auguri e ricorrenze. Viaggio ed emigrazione.	Uso dei pronomi diretti con il verbo passato prossimo. Il pronome ne. Uso di espressioni già / appena / non ancora / con il passato prossimo.	Storie di stranieri in Italia. L'emigrazione italiana all'estero.
UNITÀ 13 Quand'ero piccolo...	Narrare azioni e fatti ricorrenti nel passato. Descrivere persone e situazioni al passato. Esprimere contemporaneità fra azioni capitate nel passato.	Fatti ricorrenti della propria storia personale. Caratteristiche di persone e situazioni.	Il verbo indicativo imperfetto: verbi regolari e alcuni verbi irregolari. C'era / C'erano. Uso di mentre con il verbo indicativo imperfetto.	La scuola in Italia. Culle vuote, aule deserte.
UNITÀ 14 Che tempo fa?	Descrivere situazioni meteorologiche. Stabilire confronti, esprimere punti di vista diversi su uno stesso fenomeno. Esprimere cause e conseguenze, situazioni e avvenimenti.	Il clima. Diversi ambienti.	Usi dei verbi imperfetto e passato prossimo indicativi. I nomi alterati e i suffissi ino - etto - one - accio. Gli avverbi in -mente. Il verbo sapere.	Il clima in Italia. Proverbi e modi di dire.
UNITÀ 15 Dove andrai in vacanza?	Fare progetti per il futuro. Fare delle ipotesi. Prenotare un albergo.	Le vacanze. I luoghi di villeggiatura. L'albergo.	Il verbo futuro semplice regolare. Alcuni verbi irregolari.	L'Italia in vacanza. Turismo in Italia.

TITOLO	FUNZIONI LINGUISTICHE E COMUNICATIVE	LESSICO	CONTENUTI GRAMMATICALI	INFORMAZIONI SULL'ITALIA
UNITÀ 16 Di che umore sei?	Esprimere stati d'animo e sentimenti. Indicarne le cause Esprimere un parere. Indicare le condizioni per realizzare un'azione.	Gli stati d'animo. I sentimenti e l'amore.	Revisione dei pronomi diretti e indiretti. I pronomi diretti e indiretti con i verbi modali. Revisione dei verbi presentati finora. La subordinata causale. Uso di <u>se</u> con l'idicativo presente e futuro semplice.	Di che segno sei? L'oroscopo cinese.
UNITÀ 17 E la salute, come va?	Indicare sintomi, cause di malessere e condizioni fisiche. Comprendere e dare consigli e suggerimenti. Comprendere indicazioni, prescrizioni, istruzioni per l'uso.	Il corpo umano. Le malattie. I farmaci. I medici specialisti.	Usi del verbo imperativo formale e informale (tu / Lei) nella forma affermativa e negativa. I pronomi personali diretti (lo / la / li / le) con i verbi all'imperativo.	Gli italiani e la salute. Il check-up del Belpaese.
UNITÀ 18 Facciamoci un'opinione.	Esprimere idee e opinioni personali. Individuare gli interlocutori di una conversazione e i diversi punti di vista. Proporre delle definizioni. Riferire idee e opinioni espresse da altri.	I giornali. La televisione. L'informazione.	Usi del pronome relativo <u>che</u>. <u>Penso</u>, <u>credo</u>, <u>mi pare</u> + <u>che</u> + il verbo al congiuntivo presente. <u>Penso</u>, <u>credo</u>... + <u>di</u> + infinito. Discorso diretto e discorso indiretto. Il congiuntivo presente dei verbi regolari e di alcuni irregolari.	Scegli il tuo programma.
UNITÀ 19 Vorrei... non vorrei...	Esprimere speranze, desideri e possibilità. Esprimere condizioni e ipotesi. Fare confronti. Esprimere accordo e disaccordo. Argomentare.	I progetti e i desideri. Fortuna e sfortuna. Giochi, lotterie, schedine.	Usi del verbo condizionale presente. Ripresa di <u>spero</u>, <u>sogno</u>, <u>credo</u>... + di e infinito; + che e congiuntivo presente. Usi del verbo congiuntivo imperfetto. Cenni al tempo passato remoto.	Gratta e vinci.

Chi sei? Di dove sei?

A	B	C	D	E	F	G	H	I	L	M	N	O	P	Q	R	S	T	U	V	Z
a	b	c	d	e	f	g	h	i	l	m	n	o	p	q	r	s	t	u	v	z

a, bi, ci, di, e, effe, gi, acca, i, elle, emme, enne, o, pi, qu, erre, esse, ti, u, vu/vi, zeta

LE VOCALI

a   A ntonio
e   E lena
i   I rene
o   O lga
u   U go

LETTERE STRANIERE

J j	i lunga
K k	cappa
W w	doppia vu
X x	ics
Y y	ipsilon, i greca

LE CONSONANTI

B – P	b – p	**b** ar	–	**p** ane
D – T	d – t	**d** omani	–	**t** elefono
F – V	f – v	**f** oto	–	**v** ia
L – R	l – r	**l** atte	–	**r** istorante
M – N	m – n	**m** are	–	**n** otte
S – Z	s – z	**s** ole	–	**z** ucchero

C casa   **G** gas

CH chiesa   **GH** ghiaccio   **CI** ciao   **GI** giorno

CH banche   **GH** spaghetti   **CE** cena   **Ge** gente

QU questura

H hotel   ho hai ha hanno

GLI famiglia   **GN** signore   **SCE** pesce   **SCI** uscita

2 COME SI SCRIVE?

A come **A**ncona
B come **B**ologna

Como, **D**omodossola, **E**mpoli, **F**irenze, **G**enova,

Hotel, **I**mola, **J**ersey, **K**ursaal, **L**ivorno,

Milano, **N**apoli, **O**tranto, **P**adova, **Q**uarto,

Roma, **S**avona, **T**aranto, **U**dine, **V**enezia,

Washington, **X**eres, **Y**ork, **Z**ara.

3 COME TI CHIAMI? COME SI CHIAMA?

A SCUOLA

Come ti chiami?

Mi chiamo Zheng Li Li

– Il tuo cognome, scusa?
– Lettera per lettera?

• Zheng.
• Zeta, acca, e, enne, gi.

CORSI DI ITALIANO PER STRANIERI

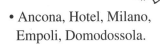

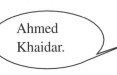

Come si chiama?

Ahmed Khaidar.

– Come si scrive il suo nome?

• Ancona, Hotel, Milano, Empoli, Domodossola.

– Il cognome, scusi?

• Kursaal, Hotel, Ancona, Imola, Domodossola, Ancona, Roma.

a) Pronuncia il tuo nome e cognome lettera per lettera.

b) Chiedi ai compagni di dire il loro nome e cognome lettera per lettera.

AMICHEVOLE

FORMALE

– Sei tu Giacomo Mori?
• Sì, sono io.
– Piacere, Silvia Daneri.
• Piacere.

– È Lei la signora Maria Rossi?
• Sì, sono io.
– Molto lieto, Guido Sala.
• Piacere.

– Siete voi Carla e Luisa?
• Sì, siamo noi.

– Sono Loro i signori Ricci?
• Sì, siamo noi.

Sei tu...   ?
Sì, sono io.
Siete voi...?
Sì siamo noi.

È Lei il signor...   ?
È Lei la signora...   ?
Sono Loro i signori...   ?
Sono Loro le signore...   ?

Piacere – Piacere
Molto lieto – Molto lieta

– Buon giorno, signor Bianchi.
  Come sta?
• Bene, grazie, e Lei?
– Abbastanza bene, grazie.

– Buona sera, signori Merati.
  Come va?
• Non c'è male, grazie, e Lei?
– Così, così.

– Ciao, Marta. Come stai?
• Abbastanza bene, e tu?
– Bene. Ci vediamo.
• A presto. Arrivederci.

– Allora, ci salutiamo.
  Buona notte.
• A domani.
– Buona notte.

Buon giorno. Buona sera.
Buona notte.
Ciao. Ci vediamo. A presto.
A domani; Arrivederci.

Come sta? Come stai? Come va?
Bene. Abbastanza bene.
Non c'è male. Così, così.

1

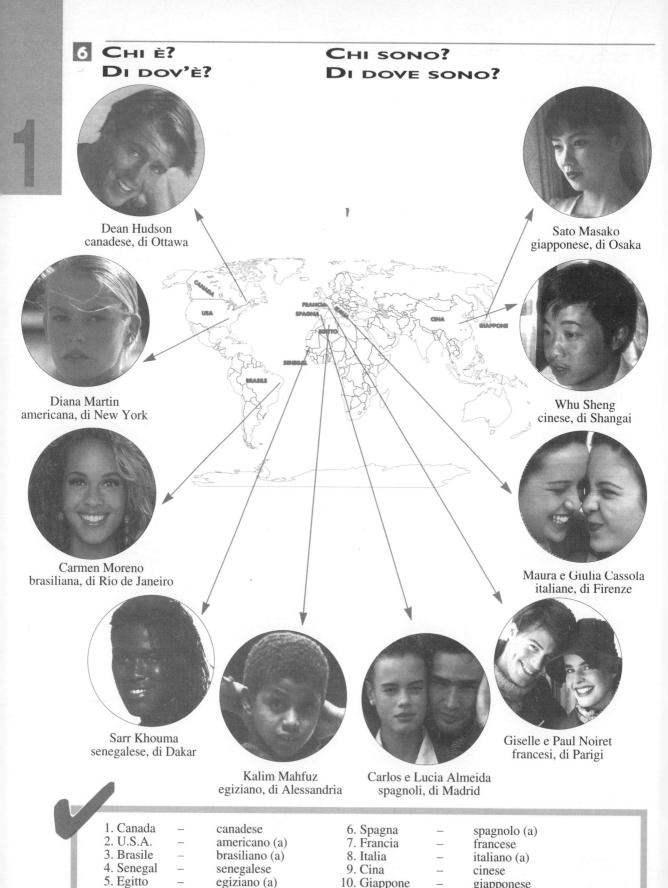

Dean Hudson
canadese, di Ottawa

Sato Masako
giapponese, di Osaka

Diana Martin
americana, di New York

Whu Sheng
cinese, di Shangai

Carmen Moreno
brasiliana, di Rio de Janeiro

Maura e Giulia Cassola
italiane, di Firenze

Sarr Khouma
senegalese, di Dakar

Giselle e Paul Noiret
francesi, di Parigi

Kalim Mahfuz
egiziano, di Alessandria

Carlos e Lucia Almeida
spagnoli, di Madrid

1. Canada	–	canadese	6. Spagna	–	spagnolo (a)
2. U.S.A.	–	americano (a)	7. Francia	–	francese
3. Brasile	–	brasiliano (a)	8. Italia	–	italiano (a)
4. Senegal	–	senegalese	9. Cina	–	cinese
5. Egitto	–	egiziano (a)	10. Giappone	–	giapponese

a) Guarda l'illustrazione e continua come nell'esempio:

CHI È? È Dean Hudson.
DI DOV'È? È canadese, di Ottawa.

1. Diane Martin. ....
2. Carmen Moreno. ....
3. Sarr Khouma. ....
4. Kalim Mahfuz. ....
5. Whu Sheng. ....
6. Sato Masako. ....

CHI SONO? Sono Carlos e Lucia Almeida.
DI DOVE SONO? Sono spagnoli, di Madrid.

1. Giselle e Paul Noiret. ....
2. Maura e Giulia Cassola. ....

b) Rispondi alle domande.

Forma **AFFERMATIVA**

1. Dean Hudson è canadese? Sì, (lui) è canadese.
2. Sato Masako è giapponese? Sì, (lei) ....
3. Kalim Mahafuz è egiziano? ....
4. Carlos e Lucia Almeida sono spagnoli? Sì, (loro) sono spagnoli.
5. Giselle e Paul Noiret sono francesi? ....
6. Maura e Giulia Cassola sono italiane? ....

c) Rispondi alle domande.

Forma **NEGATIVA**

1. Whu Sheng è giapponese? No, (lui) non è giapponese, è cinese.
2. Carmen Moreno è spagnola? No, (lei) ....
3. Diana Martin è inglese? ....
4. Carlos e Lucia Almeida sono brasiliani? ....
5. Tu sei italiano (a)? No, non sono ....
   CHI SEI? Mi chiamo (sono) ....
   DI DOVE SEI? Sono .... , di
   ....
6. Siete italiani? No, non siamo italiani.
   CHI SIETE? DI DOVE SIETE? Siamo stranieri, di tante nazionalità.

Cognome   SCOTTI
Nome   ANNA
nato il   10/12/1962
(atto n. (3762R4P1A) P.   S.   )
a   MILANO
Cittadinanza   ITALIANA
Residenza   MILANO
Via   C.so GENOVA N. 5
Stato civile   CONIUGATA
Professione   INSEGNANTE

CONNOTATI E CONTRASSEGNI SALIENTI

Statura   1,62
Capelli   castani
Occhi   castani
Segni particolari

Firma del titolare   *Anna Scotti*
Milano   li   7 / 2 / 1995

Impronta del dito
indice sinistro

IL SINDACO

Mi chiamo Anna Scotti.
Ho .... anni.
Sono nata a Milano il 10.12.1962. Abito a Milano in corso Genova, 5. Lavoro a Milano.
Sono insegnante. Insegno italiano agli stranieri.

a) Rispondi alle domande.

1. Quanti anni ha Anna Scotti?

2. Dove è nata?

3. Dove abita?

4. Dove lavora?

5. Che lavoro fa? È ...., insegna

6. Qual è la sua cittadinanza?

    (nazionalità)

a) Completa con i dati della tua carta d'identità e scrivi poi la tua presentazione:

MI PRESENTO

Cognome	Mi chiamo ....
Nome	....
nato (a) il	Ho .... anni.
a	Sono .... , di ....
Cittadinanza	....
Residenza	Abito a ....
Via	in via .... n. ....
Stato civile (1)	Sono ....
Professione (2)	Sono ....

(1) celibe   –   nubile
     coniugato – coniugata
     libero (a) di stato

(2) studente   –   studentessa
     disoccupato (a)
     operaio (a)
     impiegato (a)
     cameriere (a)

     ....

FORMA INTERROGATIVA

tu	Lei
Come ti chiami?	Come si chiama?
Quanti anni hai?	Quanti anni ha?
Quando sei nato (a)?	Quando è nato (a)?
Dove sei nato (a)?	Dove è nato (a)?
Dove abiti?	Dove abita?
Sei sposato (a)?	È sposato (a)?
Che lavoro fai?	Che lavoro fa?
Di dove sei?	Di dov'è?

I GIORNI DELLA SETTIMANA	I MESI DELL'ANNO
lunedì	1 gennaio
martedì	2 febbraio
mercoledì	3 marzo
giovedì	4 aprile
venerdì	5 maggio
sabato	6 giugno
domenica	7 luglio
	8 agosto
	9 settembre
	10 ottobre
	11 novembre
	12 dicembre

b) Chiedi ai compagni quanti anni hanno (l'età), di dove sono, dove abitano,
lo stato civile, la professione.

1

Tu	Qual è il tuo indirizzo?
	Qual è il tuo numero di telefono?
Lei	Qual è il suo indirizzo?
	Qual è il suo numero di telefono?

Il mio indirizzo è:
via Cellini, 7 - Firenze.
Il mio numero di telefono è:
055 - 382106.

I NUMERI

0	zero	21	vent**uno**
1	uno	22	ventidue
2	due	23	ventitre
3	tre	24	ventiquattro
4	quattro	25	venticinque
5	cinque	26	ventisei
6	sei	27	ventisette
7	sette	28	vent**otto**
8	otto	29	ventinove
9	nove	30	trenta
10	dieci	31	trent**uno**
11	undici	38	trent**otto**
12	dodici	40	quaranta
13	tredici	50	cinquanta
14	quattordici	60	sessanta
15	quindici	70	settanta
16	sedici	80	ottanta
17	diciassette	90	novanta
18	diciotto	98	novant**otto**
19	diciannove	100	cento
20	venti	101	centouno

a) Chiedi ai compagni il numero di telefono, scrivi e poi rileggi i numeri.

Esempio: Pedro Hernandez tel. 336721 — tre, tre, sei, sette, due, uno.

b) Chiedi ai compagni l'indirizzo, scrivi e rileggi poi il nome e il numero della via.

Esempio: Pedro Hernandez via Cellini, 17 — diciassette.

c) Continua l'esercizio con un compagno, come nell'esempio.

È il 3215694?

No, è il 3215794.

Mi scusi, ho sbagliato numero.

• 29856 – 28956 • 324578 – 234578 • 8970341 – 8907341 •

Prefissi telefonici	
011	Torino
010	Genova
02	Milano
041	Venezia
06	Roma
051	Bologna

a) Rispondi come nell'esempio:

Qual è il numero dei taxi?   È il quattro, quattro, otto, zero.

dei vigili?   ....

della polizia?   ....

della croce rossa? ....

della scuola?   ....

b) Continua per le altre città, come nell'esempio:

1. Qual è il prefisso per Torino?   È lo zero undici.

2. ....

3. ....

4. ....

5. ....

6. ....

c) Qual è il prefisso per telefonare al tuo paese?

Scrivilo e leggilo: ....

a) Completa con i pronomi personali:

(io, tu, lui, lei, Lei – noi, voi, loro, Loro)

1. Sei .... Aziz Kadel?   Sì, sono ....

2. È .... il signor Parisi?   No, non sono ....

3. E .... di dove siete?   siamo americani di New York.

4. È .... Paolo Moroni?   Sì, è ....

5. .... siamo italiani e   .... di dove siete?

6. Chi è .... ?   È Li Li, la mia compagna di scuola.

7. Sono .... i signori Neri?   Sì, siamo ....

b) Completa con il verbo «essere»:

1. Di dove .... (tu)?

   .... somalo, di Mogadiscio.

2. .... loro i signori Neri?

   No, loro .... i signori Zucchi.

3. .... Lei il sig. Ricci?

   No, io .... il sig. Monti.

4. Di dove .... voi?

   .... cinesi, di Pechino.

io **sono**	noi **siamo**
tu **sei**	voi **siete**
lui, lei, Lei **è**	loro, Loro **sono**

CHI SEI? DOVE ABITI?

c) Continua come nell'esempio:

(Sergio Sarti, Torino, corso Umberto 10) – Sono Sergio Sarti, abito a Torino, in corso Umberto 10.

1. Luigi Villa, Verona, via Adige 38.
2. Renata Cattaneo, Milano, corso Sempione 15.
3. Ali Hammad, Modena, piazza Bruni 41.
4. Liang Ye, Milano, via Canonica 7.
5. Maria Lindara, Roma, via Frattina 68.
6. Carlo Costa, Genova, via Mazzini 19.

DI DOVE SEI?

d) Continua come nell'esempio:

(Italia, Pisa) – Sono italiano, di Pisa.

1. America, Las Vegas.
2. Inghilterra, Londra.
3. Francia, Nizza.
4. Cina, Taipei.
5. Tunisia, Tunisi.
6. Marocco, Casablanca.

COME STAI? COME VA?

e) Continua come nell'esempio:

(io, bene) – Io sto bene.

1. tu, abbastanza bene.
2. Carmen, benissimo.
3. io, così così.
4. tu e Marco, molto bene.
5. Kelly e Jack, male.
6. tu e io, bene.

io **sto**	noi **stiamo**
tu **stai**	voi **state**
lui, lei, Lei **sta**	loro, Loro **stanno**

1

| Quanti anni | **hai**? (tu) | Quanti anni | **ha**? (Lei) |
| Che età | **hai**? | Che età | **ha**? |

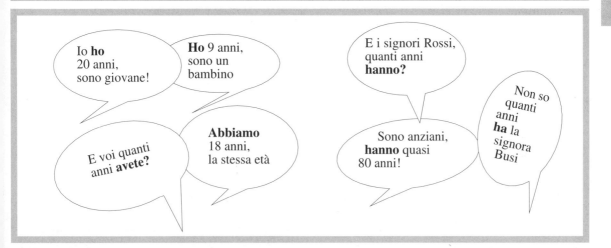

Io **ho** 20 anni, sono giovane!

Ho 9 anni, sono un bambino

E i signori Rossi, quanti anni **hanno?**

Non so quanti anni **ha** la signora Busi

E voi quanti anni **avete?**

Abbiamo 18 anni, la stessa età

Sono anziani, **hanno** quasi 80 anni!

a) Completa con il verbo «avere».

1. Quanti anni _____ (tu)? Io _____ 23 anni.
2. E Lei, quanti anni _____ ? Io _____ 40 anni.
3. Dino e Lea _____ la stessa età, e voi quanti anni _____ ?
4. Noi _____ 30 anni.

b) Continua come nell'esempio:

   (lui) Dario, 20 anni – È Dario, ha 20 anni.

1. (lui) il signor Pagani, 40 anni.
2. (loro) i signori Rossi, 50 anni.
3. (noi) Isa e Leo, la stessa età.
4. (io) un bambino, 7 anni.
5. (voi) sposati, figli.
6. (lei) giovane, 18 anni.

c) Completa con i verbi «avere» e «essere».

1. Marta _____ 10 anni, _____ una bambina.
2. Luca _____ giovane, _____ 20 anni.
3. Chi _____ (tu)? Quanti anni _____ ?
4. (io) _____ Karol, _____ 15 anni.
5. Che età _____ i signori Caselli? _____ quasi 70 anni, _____ anziani.
6. E voi _____ la stessa età? No, io _____ 18 anni, lei 19.

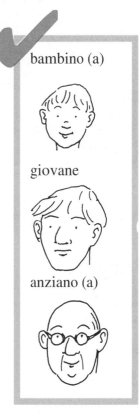

bambino (a)

giovane

anziano (a)

b) Completa la tabella con le domande, come nell'esempio:

Tu	Lei	
Come ti chiami?	Come si chiama?	Manuel Rivas
		Peruviano, di Lima
		Ho 26 anni
		Sì, sono sposato
		Sono operaio
		In viale Po, Ferrara
		0532 / 415789

b) Leggi la presentazione
e compila i dati

c) Leggi i dati e scrivi
la presentazione

Mi chiamo Carla Pasi.
Sono nata a Vignola il 25.11.1965.
Abito a Bologna, in via Mazzini, 3.
Lavoro come segretaria.

Nome e cognome: Dong Hua.
Luogo e data di nascita:
Zhejiang, il 3.8.1970.
Residenza: Milano, via Canonica, 28.
Occupazione: cameriere.

Nome ....

Cognome ....

Luogo di nascita ....

Data di nascita ....

Indirizzo ....

....

Professione ....

13

a) Ascolta la registrazione e poi completa il dialogo fra i due giovani:

PAOLO   ....

SAID   No, non sono italiano.

PAOLO   ....

SAID   Sono algerino, di Algeri.

PAOLO   ....

SAID   Mi chiamo Said Hassanein.

PAOLO   ....

SAID   Ho venti anni.

PAOLO   Come mai sei in Italia?

SAID   .... qui per lavoro e per imparare l'italiano.

b) Scrivi una cartolina a un amico.

CARTA D'IDENTITÀ DELL'ITALIA

ordinamento dello Stato	Repubblica parlamentare
numero di abitanti	57 milioni e 144 mila *
capitale	Roma
superficie	circa 300 mila km².
lingua	italiana
religione	cattolica
moneta	lira

* (censimento 1991)

Calano le nascite

Aumentano gli anziani
oltre gli 80 anni

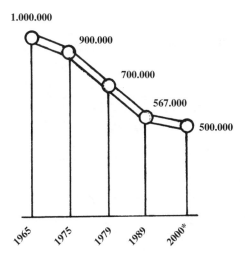

(* Previsioni)

In calo vertiginoso le nascite in Italia, dice l'Istat

Il Paese con pochi bambini e tanti anziani

dal *"Corriere della Sera"*

Presente indicativo dei verbi ESSERE e AVERE

ESSERE

io	sono
tu	sei
lui	
lei	è
Lei	
noi	siamo
voi	siete
loro	sono
Loro	

AVERE

io	ho
tu	hai
lui	
lei	ha
Lei	
noi	abbiamo
voi	avete
loro	hanno
Loro	

STARE

sto
stai
sta
stiamo
state
stanno

CHIAMARSI

mi	chiamo
ti	chiami
si	chiama
ci	chiamiamo
vi	chiamate
si	chiamano

Preposizioni semplici: in, a, di

Pronomi soggetto:
io tu lui lei Lei noi voi loro Loro

Forme interrogative

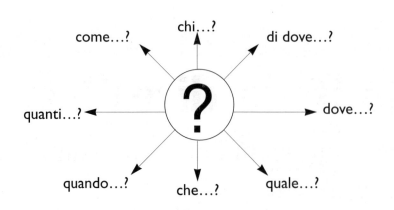

come…? chi…? di dove…?

quanti…? **?** dove…?

quando…? che…? quale…?

Scusi, per andare...?

Una signora cerca un supermercato e chiede informazioni a un passante.

SIGNORA   Scusi, c'è un supermercato qui vicino?

PASSANTE   Sì, in via Verdi, la seconda strada a sinistra.
           Deve andare diritto al semaforo, poi a sinistra.

SIGNORA   E… dove posso trovare una cabina telefonica?

PASSANTE   Proprio di fianco al supermercato.

SIGNORA   Tante grazie!

a) Completa:

La signora deve andare al ....

Va .... fino al semaforo, poi a .... in via Verdi.

La cabina telefonica è .... al supermercato.

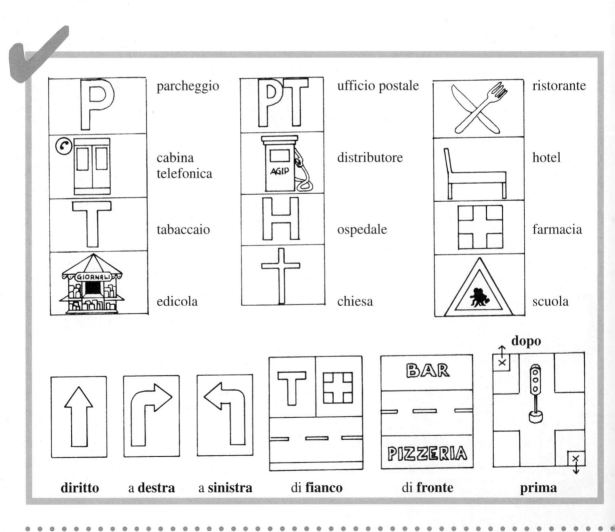

P	parcheggio
📞 cabina telefonica	
T	tabaccaio
GIORNALI	edicola
PT	ufficio postale
AGIP	distributore
H	ospedale
†	chiesa
🍴	ristorante
	hotel
✚	farmacia
⚠	scuola

diritto   a **destra**   a **sinistra**   di **fianco**   di **fronte**   dopo   **prima**

b) Guarda l'illustrazione e inventa domande e risposte, come nell'esempio:

Scusi, c'è un bar qui vicino? Sì, in via Nievo, la prima a destra.

Scusi c'è   un garage qui vicino? Sì, in via...
c'è   un parcheggio
           un tabaccaio
           un ufficio postale
           una banca
           una farmacia

la prima		destra.
la seconda	a	
la terza		sinistra.

2

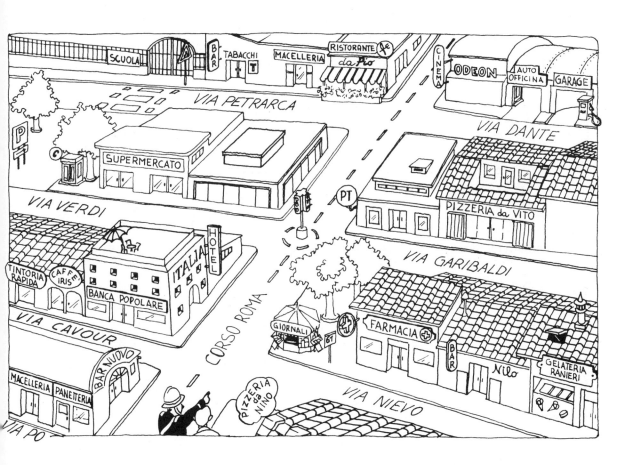

c) Completa e poi inventa domande e risposte:

Scusi, dov'è l'Hotel Italia?   In corso Roma, di fronte all'edicola.

      il bar Nuovo?   In ...., ...alla ....

      l'edicola?   ...., ...all' ....

      un distributore?   In via Dante, di fianco al garage.

      la pizzeria da Vito?   ...., ...all'ufficio postale.

      la tintoria Rapida?   ...., ...al caffè Iris.

Scusi, l'edicola è prima del
      semaforo o dopo
      il semaforo?   ....

2 CHE MEZZO PRENDETE PER ANDARE... ALLA STAZIONE, IN CENTRO ...?

a) Leggi e ripeti.

Io **prendo** l'autobus.

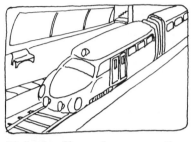

Noi **prendiamo** la metropolitana.

Il signor Berti **prende** un taxi.

Noi **prendiamo** il tram.

Nagib e Ali **prendono** il tram e l'autobus.

Tu non **prendi** i mezzi, vai a piedi.

CON CHE MEZZO ANDATE	... al ristorante ? al cinema?	In	autobus (con l'). macchina (con la). tram (con il). metropolitana (con la).

b) Completa.

Io ci **vado** in autobus, Isa e Toni ci **vanno**...........................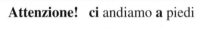

Tu e Fen Fen ci **andate**.. .. Il signor Riva ci **va**

.... Tu ci **vai** .... , noi ci **andiamo** a piedi.

> **Attenzione!** **ci** andiamo **a** piedi

c) Completa le frasi con il verbo «andare».

1. Dove .... (tu)? ....in centro in macchina.

2. Noi.............................. al cinema, e voi dove .... ?

3. L'autobus 75 non .... in centro, gli autobus 60 e 61 .... in centro.

3 SCUSI, C'È UN MEZZO CHE VA IN CENTRO? DOV'È LA FERMATA?

SIGNORE	Mi scusi, per favore, c'è un mezzo che va in centro?
VIGILE	Sì, c'è l'autobus 61.
SIGNORE	Sa dov'è la fermata?
VIGILE	In via Nievo, la prima strada a destra.
SIGNORE	Dove posso comprare un biglietto?
VIGILE	All'edicola, di fianco alla fermata.

4 POSSO AVERE UN BIGLIETTO PER L'AUTOBUS?

PASSANTE	Posso avere un biglietto per l'autobus?
EDICOLANTE	Ecco a lei.
PASSANTE	Quanto costa?
EDICOLANTE	1.200 lire.

5 PER PIAZZA... A QUALE FERMATA DEVO SCENDERE?

PRIMO PASSEGGERO	Mi scusi, per piazza del Popolo, a quale fermata devo scendere?
SECONDO PASSEGGERO	Alla quarta... no, anzi, alla quinta fermata.

	prima fermata
	seconda
	terza
alla	quarta
	quinta
	sesta
	settima
	....

a) Completa.

Un signore deve prendere l'.......................... per andare ....

Deve comprare il .... all'.......................... che c'è ....

..........................alla .... dell'autobus. Per piazza del Popolo deve scendere

alla ....fermata.

tu amichevole	**Lei** formale
Senti, scusa, per andare... in piazza Navona?	Senta, scusi, per andare... a Trinità dei Monti?
Mi puoi dire, per piacere, dov'è la fermata dell'autobus?	Mi può dire, per cortesia, dov'è un ufficio postale?
Scusa, sai dov'è...?	Mi scusi, sa dov'è...?

b) Sei per strada e devi chiedere informazioni per muoverti in città.
Inventa un dialogo con i compagni, facendo a turno i personaggi del passante, del vigile, dell'edicolante e del passeggero.

c) Cerca i contrari.

1. vicino — lì, là
2. qui, qua — dietro
3. a destra — alle spalle
4. davanti — alla fine
5. di fronte — a sinistra
6. all'inizio — lontano
7. in alto — giù
8. fuori — sotto
9. sopra — dentro
10. su — in basso

d) Abbina la domanda alla risposta.

Le parole per **CHIEDERE**

1. Dov'è la fermata dell'autobus?
2. È vicino il bar Lux?
3. C'è una farmacia da queste parti?
4. Che mezzo devo prendere per andare in centro?
5. A quale fermata devo scendere?
6. Scusi, dove posso parcheggiare?
7. Sa dov'è un distributore?

Le parole per **RISPONDERE**

– Vicino al garage.
– Sì, nella prima via a destra.
– L'autobus numero 23.
– Alla quarta fermata.
– Di fianco all'edicola.
– Sì, è vicino, non è lontano.
– Più avanti c'è un parcheggio.

6 CON QUALE MEZZO VENITE A SCUOLA?

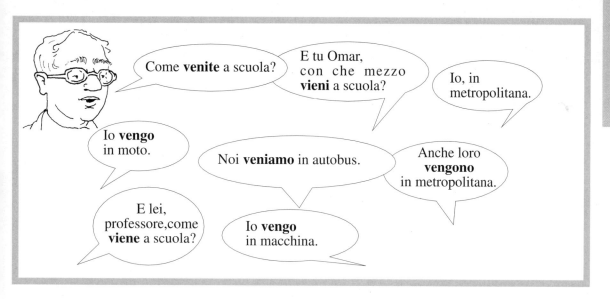

Come **venite** a scuola?

E tu Omar, con che mezzo **vieni** a scuola?

Io, in metropolitana.

Io **vengo** in moto.

Noi **veniamo** in autobus.

Anche loro **vengono** in metropolitana.

E lei, professore, come **viene** a scuola?

Io **vengo** in macchina.

a) Chiedi ai tuoi compagni con che mezzo vengono a scuola.

b) Continua come nell'esempio:

(Io, venire, tram) – Io vengo a scuola in tram.

1. Robert, bicicletta.
2. Omar e Alem, autobus.
3. Tu e Klaus, moto.
4. Io e Myriam, metropolitana.
5. Wen Li, piedi.
6. Tu, in macchina.

Che mezzo prendi per andare a lavoro?

Di solito prendo l'autobus.

c) Completa con il verbo «prendere».

1. Io .... la metropolitana.

2. Il signor Conti .... un taxi.

3. Tu e io .... l'autobus.

4. Tu e lui .... il treno.

5. Tu .... il tram.

6. Gli studenti .... i mezzi pubblici.

d) Chiedi ai tuoi compagni che mezzo prendono per andare al lavoro.

7 ALLA FERMATA DELL'AUTOBUS

Jane incontra Claudio alla fermata dell'autobus.

CLAUDIO   Ciao Jane, dove vai?

JANE   Vado alla stazione.
Parto per Firenze con Diana.

CLAUDIO   Stai via molto?

JANE   No, vado e vengo in giornata.
Breve giro turistico!

CLAUDIO   Arriva l'autobus.
Lo prendi anche tu?

JANE   No, aspetto Diana. Ciao!

CLAUDIO   Arrivederci!
Buon viaggio!

8 ALLA STAZIONE

Jane e Diana guardano gli orari.

JANE   Allora... a che ora parte il treno?

DIANA   Parte alle 9 e 48 e arriva a Firenze dopo un'ora.

JANE   Bene, arriviamo presto a Firenze, così abbiamo il tempo di fare un giro in città.
Ma... da quale binario parte il treno?

DIANA   Guarda... l'intercity per Roma, dal terzo binario.

PARTENZE			
DESTINAZIONE	CAT	ORARIO	BIN
Roma	IC	9.48	3
Genova	EXP	9.50	7
Venezia	D	10.05	2
Torino	EXP	10.07	8
Napoli	IC	10.12	4
Milano	IC	10.35	1

9 **ALLO SPORTELLO**

Jane e Diana fanno il biglietto.

JANE	Per favore, un biglietto per Firenze, andata e ritorno, seconda classe.
BIGLIETTAIO	Se prende l'Intercity, deve fare il supplemento rapido.
JANE	Va bene.
BIGLIETTAIO	Paga 22.500 lire.

a) Indica la risposta corretta

	Vero	Falso
1. Jane e Diana partono in treno per Firenze	☐	☐
2. Prendono i biglietti alla stazione di Bologna	☐	☐
3. Arrivano a Firenze dopo due ore	☐	☐
4. Vanno a Firenze per visitare la città	☐	☐
5. Non ritornano a casa la sera	☐	☐

b) Sei alla stazione e devi acquistare un biglietto ferroviario; chiedi a che ora parte il treno e da quale binario.
Inventa il dialogo con i compagni. Fate a turno il passeggero, il bigliettaio e un amico che dà le informazioni.

Partire				**Arrivare**		
Parto	da	Bologna		arrivo	a	Firenze
Parti	da	Torino		arrivi	a	Genova
Parte	dalla	stazione di...	e	arriva	alla	stazione di...
Partiamo	alle	9,48		arriviamo	fra	un'ora
Partite	al	mattino		arrivate	alla	sera
Partono	dall'	Italia		arrivano	al	loro paese

c) Completa con i verbi «partire» e «arrivare».

Parti e .... in giornata? Sì, io .... stamattina e ....

stasera. Jane e Diana .... da Bologna e .... a Firenze.

Mauro invece .... da Verona e .... a Modena.

Noi .... da Roma e .... a Palermo, tu e Mohamed

.... in aereo per il Marocco e .... a Rabat fra 2 ore.

Andare Venire	**a**	casa, scuola, lavorare Roma, Bari, Pechino (città) piedi	**in**	Italia, Cina, Egitto America, Germania, ... (stati)
	da	Roma Milano		treno, aereo, nave (mezzi di trasporto)
Partire	**da**	Parigi	**per**	Algeri, Berlino
	fra	un'ora, venti minuti, un giorno, una settimana		

a) Completa con le preposizioni (da, a, per, in, con).

Questa mattina Jane parte .... Firenze .... Diana.

Parte .... Bologna e va .... treno .... Firenze, ...

visitare la città.

Arriva .... Firenze e va .... centro .... autobus, ma

poi gira la città .... piedi.

La sera parte .... Firenze .... treno e torna .... Bologna.

È tardi e va .... casa .... taxi.

b) Trasforma ora alla prima persona singolare e alla terza persona plurale.

Questa mattina parto...
Questa mattina Jane e Diana partono per...

Parti?

Sì, parto fra un'ora, in aereo, per New York.

c) Scrivi le frasi come nell'esempio:
   (Io, un'ora, aereo, New York) – Parto fra un'ora, in aereo, per New York.

1. io, poco, macchina, Verona.
2. tu, mezz'ora, aereo, Algeri.
3. voi, 40 minuti, nave, Tangeri.

4. noi, due ore, moto, Cortina.
5. loro, un'ora, treno, Perugia.
6. lui, 5 minuti, pullman, Positano.

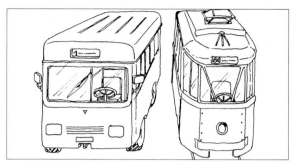

| **C'è** l'autobus! | **Ci sono** i mezzi pubblici |

a) Completa con «c'è» e «ci sono».

1. Ciao, ... l'autobus in arrivo! Ciao, vado .... il tram.

2. .... l'autobus e il tram in arrivo! ....

3. .... la fermata dell'autobus qui vicino? No, non ....

4. In questa via .... il cinema Odeon e l'hotel Italia.

5. Oggi .... sciopero, non .... i mezzi pubblici.

6. Pronto, ... Gigi? No, non ....

| **Dov'è** la fermata? | **Dove sono** i taxi? |

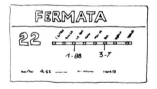

b) Completa con «dov'è» e «dove sono».

1. .... la questura? .... i moduli?

2. .... i miei documenti? .... il mio biglietto?

3. .... Omar e Aziz? .... Li Peng?

4. .... l'insegnante? E gli studenti .... ?

5. .... il consolato americano? Mi dispiace, non lo so.

6. .... il mio portafoglio? .... i miei soldi?

c) Completa le frasi come nell'esempio:

1. Maria deve andare alla stazione   – torni a casa in autobus.
2. Aldo e Isa prendono l'autobus   – arriviamo a Firenze.
3. Io vado a scuola a piedi   – prendete un taxi.
4. Noi partiamo da Bologna   **e**   – torno a casa in tram.
5. Voi siete in ritardo   – vanno in centro.
6. Tu vai al lavoro in autobus   – prende la metropolitana.

Sei in piazza Cavour

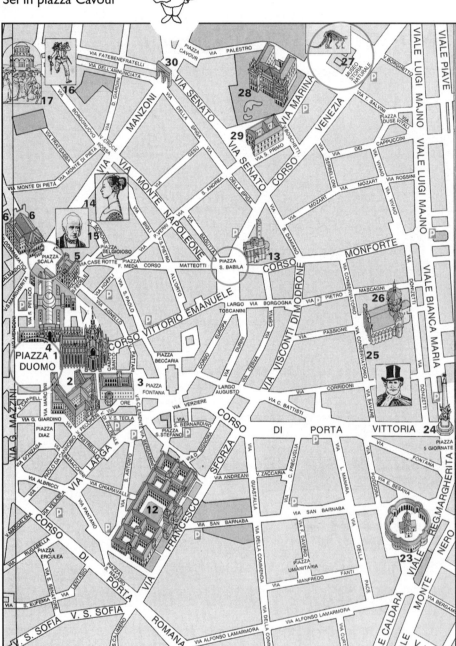

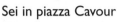

- diritto
- sempre diritto
- a destra
- a sinistra
- ancora a destra
- ancora a sinistra
- poi...
- subito dopo
- fino a...
- fino all'incrocio
- fino alla piazza

a) Ascolta la registrazione e segui sulla cartina i percorsi.
Poi prova a ripetere gli itinerari per andare:

– in piazza della Scala
– in piazza S. Babila
– in piazza Duomo
– al museo di Storia Naturale.

CHE LINEA DELLA METROPOLITANA DEVO PRENDERE PER...

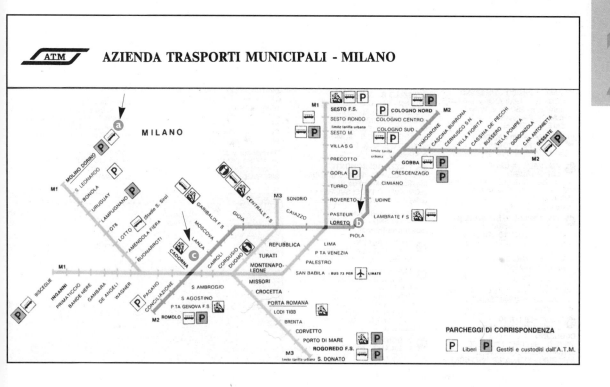

Sei a Porta Romana e devi andare in metropolitana alla stazione Centrale.

D – Scusi, che linea devo prendere per la stazione Centrale?
R – La linea 3, direzione Sondrio.
D – A quale fermata devo scendere?
R – Un momento... alla settima fermata.

a) Sei a Molino Dorino e devi andare in piazzale Lotto.
Continua tu con un compagno.

D ....

R ....

D ....

R ....

b) Sei a Loreto e devi andare in piazza Duomo.
Continua tu.

c) Sei a Cadorna e devi andare in piazza S. Babila.
Continua tu.

• All'edicola o dal tabaccaio
• Ai punti vendita dell'Azienda Trasporti

un biglietto

un tesserino settimanale a due corse

• All'Ufficio Abbonamenti dell'Azienda Trasporti

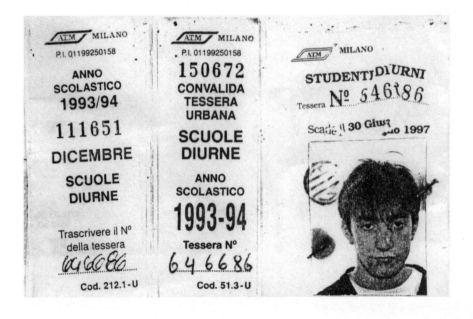

Per gli studenti servono:
• una fotografia
• la dichiarazione di iscrizione alla scuola

LA METROPOLITANA
MILANESE

Milano ha tre linee di metropolitana che partono dalla periferia e attraversano il centro della città.
Sono la linea rossa (linea 1), la linea verde (linea 2) e la linea gialla (linea 3).
Un milione e più di passeggeri prendono tutti i giorni la metropolitana per i loro spostamenti in città.
Nelle ore di punta la metropolitana è molto affollata.
Anche gli altri mezzi pubblici sono pieni di gente.

Due aeroporti collegano Milano con tutto il mondo: da Linate e dalla Malpensa partono e arrivano voli nazionali e internazionali.

Presente indicativo dei verbi regolari delle tre coniugazioni

prima con (are)   seconda con (ere)   terza con (ire)

ARRIV ARE	PREND ERE	PART IRE
arrivo	prendo	parto
arrivi	prendi	parti
arriva	prende	parte
arriviamo	prendiamo	partiamo
arrivate	prendete	partite
arrivano	prendono	partono

Presente indicativo dei verbi irregolari ANDARE e VENIRE

ANDARE	VENIRE
vado	vengo
vai	vieni
va	viene
andiamo	veniamo
andate	venite
vanno	vengono

C'è	Ci sono
Dov'è?	Dove sono?

Preposizioni semplici:

di   a   da   in   con   su   per   tra   fra

Numeri ordinali

primo (a)	I	sesto (a)	VI
secondo (a)	II	settimo (a)	VII
terzo (a)	III	ottavo (a)	VIII
quarto (a)	IV	nono (a)	IX
quinto (a)	V	decimo (a)	X

Che
lavoro
fai?

1 CHE LAVORO FAI?

Qual è il tuo orario di lavoro?
Quanto guadagni?

Marina Loi

Faccio la commessa in un
negozio di abbigliamento.
L'orario di lavoro è pesante
e guadagno poco.

Angelo Rea

Sono un falegname.
Comincio presto e finisco
tardi, ma preferisco lavorare
in proprio.

Natalia Sisti

Sono una giornalista. Faccio
un lavoro interessante, viaggio spesso e non ho orari.
Guadagno bene.

a) Abbina le professioni ai disegni, come nell'esempio.

CHE LAVORO FANNO?

rappresentante

....

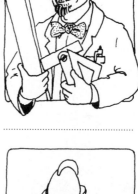

....

....

....

....

....

....

(vigile, segretaria, meccanico, muratore, insegnante, cameriere, rappresentante, architetto)

Qual è il suo orario di lavoro?
Quanto guadagna?

Guido Viali

Sono medico a tempo pieno in ospedale. Curo i malati e ho molte responsabilità, ma il mio lavoro mi piace.

Gina Rota

Sono una casalinga. Pulisco, lavo, stiro e cucino. Comincio a lavorare al mattino e finisco la sera.

Vanni Nozza

Sono un ragioniere e lavoro in banca. Ho un lavoro sicuro e un orario fisso, dal lunedì al venerdì.

Articoli determinativi

maschile singolare		femminile singolare		maschile plurale		femminile plurale	
il	commesso professore giornalista	**la**	commessa professoressa giornalista	**i**	commessi professori giornalisti	**le**	commesse professoresse giornaliste
l'	impiegato operaio insegnante	**l'**	impiegata operaia insegnante	**gli**	impiegati operai insegnanti	**le**	impiegate operaie insegnanti
lo	scienziato scrittore zoologo	**la**	scienziata scrittrice zoologa	**gli**	scienziati scrittori zoologi	**le**	scienziate scrittrici zoologhe

Articoli indeterminativi

	un	maestro regista	**una**	maestra regista
Io sono		attore operaio	**un'**	attrice operaia
	uno	studente zoologo	**una**	studentessa zoologa

Attenzione!	Io sono **un** maestro. Io sono **una** maestra. Io sono **un** regista. Io sono **un'**attrice.	Io sono **il** maestro Bucci. Io sono **la** maestra Ferrario. Io sono **il** regista Moretti. Io sono **l'**attrice Ornella Muti.

a) Collega le frasi.

1. Guido Viali è un medico   – lavora in proprio.
2. Marina Loi è una commessa   – lavora in banca.
3. Vanni Nozza è un ragioniere   e – lavora in casa.
4. Gina Rota è una casalinga   – viaggia molto per lavoro.
5. Natalia Sisti è una giornalista – lavora in ospedale.
6. Angelo Rea è un falegname   – lavora in un negozio.

b) Abbina il nome delle professioni ai luoghi di lavoro.

DOVE LAVORA?

1. Il muratore   – in farmacia.

2. L'insegnante   – in fabbrica.

3. Il contadino   – in officina.

    lavora   – in ufficio.

4. L'operaio

5. Il meccanico   – in cantiere.

6. L'impiegato   – nei campi.

7. Il barista   – a scuola.

8. Il farmacista   – nel bar.

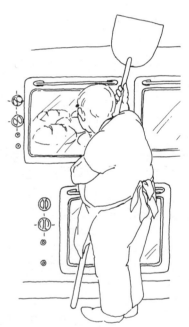

c) Continua al plurale per le altre professioni, come nell'esempio:

DOVE LAVORANO?   I muratori lavorano in cantiere.

d) Abbina il lavoratore all'attività corrispondente:

CHE ATTIVITÀ FA?

1. Il vigile   – incassa i soldi.

2. La cassiera   – fa il pane.

3. Il macchinista   – serve ai tavoli.

4. Il fornaio   – conduce il treno.

5. Il cameriere   – regola il traffico.

3 CHE PROFESSIONE FA?

Taglia i capelli e pettina
PROFESSIONE: *parrucchiere*

Scrive libri
PROFESSIONE: ......

Coltiva la terra
PROFESSIONE: ......

Fa e ripara impianti elettrici
PROFESSIONE: ......

Sorveglia i bambini
PROFESSIONE: ......

Vende le medicine
PROFESSIONE: ......

Fa progetti
PROFESSIONE: ......

Fa e stampa fotografie
PROFESSIONE: ......

L'ELETTRICISTA · IL FOTOGRAFO · LA BABY SITTER · L'INGEGNERE · LO SCRITTORE · IL CONTADINO · IL PARRUCCHIERE · IL FARMACISTA

a) Scrivi il nome della professione, come nell'esempio.

b) Continua al plurale per le altre professioni:

CHE ATTIVITÀ FANNO?   I parrucchieri tagliano i capelli e pettinano.

4 QUALI STRUMENTI USA PER IL LAVORO?

la lavagna,
il gesso,

il telefono,
il personal computer

la chiave inglese
il cacciavite

il calcolatore

il trattore

il secchio
la cazzuola

la sega
la pialla

le forbici
il pettine
il phon

la carriola

a) Abbina al lavoratore gli strumenti di lavoro corrispondenti.

1. Il programmatore   usa   il calcolatore

2. Il meccanico   ......

3. L'insegnante   ......

4. Il parrucchiere   ......

5. La segretaria   ......

6. Il muratore   ......

7. Il falegname   ......

8. Il contadino   ......

5 IN CERCA DI LAVORO

Sono disoccupato, non ho un lavoro.
Cerco lavoro all'ufficio di collocamento, chiedo aiuto agli amici e ai conoscenti, leggo le offerte di lavoro sui giornali. Ma non è facile trovare lavoro.

a) Leggi l'annuncio e rispondi alle domande.

CERCASI
PROGRAMMATORE

Età: 30-35 anni
Diploma: ragioneria
Conoscenza lingua inglese
Esperienza pluriennale nel settore

Inviare curriculum a:
Corriere 479 - AD - 20100 Milano

---

1. Che lavoratore cerca la società? ....

2. Quanti anni deve avere il lavoratore? ....

3. Quale titolo di studio deve possedere? ....

4. Che cosa deve conoscere? ....

5. Quale esperienza deve avere? ....

6. Il lavoratore deve telefonare o scrivere ....

7. Che cosa deve inviare? ....

6 ⃝ GLI ANNUNCI ECONOMICI

Gli **annunci economici** sono spesso difficili da capire, perché sono molto brevi e scritti con parole ed espressioni tecniche. Ti elenchiamo alcune espressioni ricorrenti.

a) Abbina le espressioni con le definizioni corrispondenti.

1. curriculum	– che ha persone che possono dare informazioni su di lui.
2. pluriennale esperienza	– pratico e capace.
3. esperto	– con la macchina.
4. automunito (a)	– descrizione breve e precisa delle proprie esperienze di studio e di lavoro.
5. con referenze (referenziato - a)	– più anni di lavoro nello stesso settore.

b) Con l'aiuto dell'insegnante cerca di spiegare il significato dei seguenti annunci.

Impresa Edile Roma
cerca muratori
esperti

tel. 06 / 3451798

Un'impresa edile di Roma cerca muratori con esperienza.
Per avere informazioni si deve telefonare al numero:
06 / 3451798

CASA EDITRICE ricerca segretaria ottimo inglese esperienza.
Telefonare 02-26.30.03.30 - ore 15-17.30.

ADDETTI PUBBLICI ESERCIZI

BARISTA cercasi subito. Presentarsi piazza Virgilio 3, Milano.

NEGOZIO DI OREFICERIA CERCA 2 COMMESSE AUTOMUNITE. ORE 10,30. TEL. 02 / 29.40.13.58. 0337 / 35.94.53.

OPERAI
**Ditta artigiana assume elettricista esperto con patente.
Telefonare ore ufficio 02 / 48.91.59.14.**

PER assunzione immediata si cercano esperti cuochi e pizzaioli. Telefonare 02-72.01.00.68.

BABY Sitter referenziata cercasi da metà agosto per bimba di anni 7. Dopo h 20.

COLLABORATORI FAMILIARI
CERCASI coppia domestici con referenze. Telefonare dalle 9 alle 19 allo 0332-28.61.76.

---

c) Ascolta le telefonate e rispondi alle domande.

Che lavoro vogliono fare le persone? Vanno bene per quel lavoro?

7 CHE LAVORO FAI?

a) Continua come nell'esempio:
   (Io, farmacista, farmacia) - Io faccio il farmacista, lavoro in farmacia.

1. Io, meccanico, officina.
2. Tu, segretaria, ufficio.
3. Mohamed, muratore, cantiere.
4. Voi, operai, fabbrica.
5. Noi, imprenditori, azienda.
6. Samia e Jasmine, infermiere, ospedale.

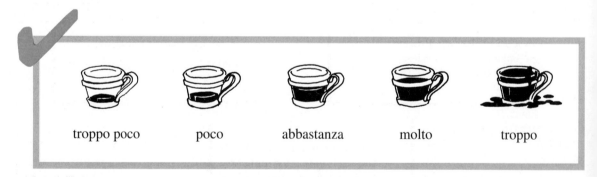

QUANTO GUADAGNI?

a) Continua come nell'esempio.
   (Io, poco) - Io guadagno poco.

1. Tu, abbastanza.
2. Il medico, molto.
3. Tu e Ali, poco.
4. Io e Rosita, troppo poco.
5. I giocatori di calcio, troppo.
6. Io, abbastanza per vivere.

8 QUANDO COMINCI E FINISCI IL LAVORO?

> Quando cominci e finisci il lavoro?

> Quando cominciate e finite il lavoro?

> Comincio presto e finisco presto.

> Cominciamo presto e finiamo tardi.

3

Attenzione!

FINIRE   Fin**isc**o, fin**isc**i, fin**isc**e   finiamo, finite, fin**isc**ono

---

a) Completa e trasforma poi al plurale.

1. Il dirigente non ha orari, non sa quando comincia e quando .... il lavoro.

4. I dirigenti ....
   non sanno ....
   ....

2. Tu quando .... e .... il lavoro?

5. Voi ....
   .... ?

3. Io .... la mattina e .... la sera.

6. Noi ....
   ....

b) Chiedi ai tuoi compagni quando cominciano e finiscono il lavoro.

c) Completa la tabella, come nell'esempio.

NOME	M	F	il	lo	la	l'	AL SINGOLARE
cameriere	☒	☐	☒	☐	☐	☐	il cameriere
domestica	☐	☐	☐	☐	☐	☐	....
ingegnere	☐	☐	☐	☐	☐	☐	....
spazzino	☐	☐	☐	☐	☐	☐	....
scrittore	☐	☐	☐	☐	☐	☐	....
impiegato	☐	☐	☐	☐	☐	☐	....
dottoressa	☐	☐	☐	☐	☐	☐	....

NOME	M	F	i	gli	le	le	AL PLURALE
taxisti	☒	☐	☒	☐	☐	☐	i taxisti
attori	☐	☐	☐	☐	☐	☐	....
infermieri	☐	☐	☐	☐	☐	☐	....
muratori	☐	☐	☐	☐	☐	☐	....
segretarie	☐	☐	☐	☐	☐	☐	....
studenti	☐	☐	☐	☐	☐	☐	....

d) Completa con gli articoli indeterminativi (un, uno, una, un')

La ditta assume .... impiegato, ... impiegata, ... segretaria esperta e .... studente appena diplomato.

9 COM'È IL TUO LAVORO?

a) Indica con una crocetta le caratteristiche del tuo lavoro.

☐ pesante (faticoso)   ☐ leggero
☐ interessante   ☐ noioso
☐ sicuro   o   ☐ precario
☐ facile   ☐ difficile
☐ dipendente   ☐ autonomo
☐ a tempo pieno   ☐ a mezzo tempo (part-time)

b) Ascolta le domande del questionario e rispondi con una frase, prima oralmente poi per iscritto.

QUESTIONARIO

1. Che lavoro fai?

....

2. Dove lavori?

....

3. Con che mezzo vai al lavoro?

....

4. Quando cominci e finisci il tuo lavoro? (presto, tardi)

....

5. Com'è il tuo lavoro?

....

6. Ti piace il tuo lavoro? (mi piace, non mi piace)

....

7. Quanto guadagni? (poco, abbastanza, molto...)

....

---

c) Rivolgi ai tuoi compagni le domande del questionario.

d) Prova a indovinare.

Un compagno esce dall'aula: i compagni rimasti scelgono una professione; il compagno che ritorna in classe deve fare domande e indovinare la professione dalle risposte dei compagni.
Esempio:

non ha un orario fisso
lavora sempre fuori
viaggia molto
vende polizze assicurative

ehm,
… è l'assicuratore!

a) Completa la domanda di lavoro di Fabio Bini.

generalità e requisiti:

Nome e cognome	*Fabio Bini*
Data di nascita	*13.2.1964*
Luogo di nascita	*Cremona*
Indirizzo	*via Po, 2 - Cremona*
Telefono	*0372 - 23508*
Titolo di studio	*ragioniere*
Lingue conosciute	*inglese*
Professione attuale	*programmatore*
Altre esperienze di lavoro	*programmatore alla Digital per 7 anni*

a) Compila ora un tuo breve curriculum.

Nome e cognome	
Data di nascita	
Luogo di nascita	
Indirizzo	
Telefono	
Titolo di studio	
Lingue conosciute	
Professione attuale	
Altre esperienze di lavoro	

Cremona 26.9.'94

Spett. Società
rispondo al Vostro annuncio
del 23.9. '94
Io sottoscritto ....
nato il .... a ....
abitante a ....
in via ...., ...
Tel. ....
sono disponibile per il lavoro
di programmatore.
Sono .... e conosco
bene l'inglese. Ho lavorato come
.... per .... anni
presso la Società DIGITAL.

Distinti saluti

Fabio Bini

Fuga dalle fabbriche, tutti in ufficio

Già dagli anni '80 avviene questo cambiamento e i dati ISTAT del censimento del 1991 confermano questa tendenza.
Si svuotano le fabbriche, aumentano gli addetti ai servizi.

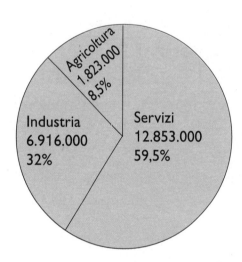

occupati / disoccupati

— **OPERAI**   **+ IMPIEGATI NEI SERVIZI**
(banche, commercio, ospedali, scuole, poste, ecc.)

In Italia nel 1991 gli occupati erano 21.592.000, i disoccupati erano 2.652.000, il 10% dell'intera forza lavoro.

IL LAVORO DEGLI STRANIERI IN ITALIA

3

Attualmente in Italia ci sono molti lavoratori stranieri, soprattutto nelle grandi città.
Gli stranieri lavorano:

– nei servizi   come camerieri e cuochi nei ristoranti, domestici nelle case private, infermieri negli ospedali, commercianti e ambulanti, liberi professionisti;

– nell'industria   come operai nelle fabbriche;

– nell'agricoltura   soprattutto nell'Italia centrale e meridionale;

– nella pesca   soprattutto in Sicilia.

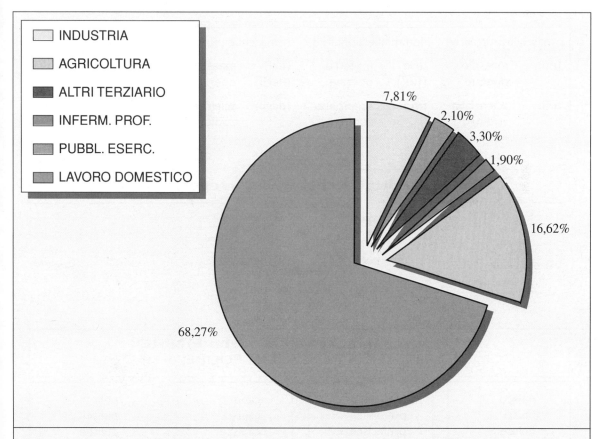

dati (in percentuale) forniti dal Ministero del Lavoro e della Previdenza Sociale sulle autorizzazioni al lavoro subordinato concesse a cittadini extracomunitari sono aggiornati al 30 giugno 1993.

Nomi e articoli al singolare e al plurale

Articoli determinativi: **il, lo, la, i, gli, le**

maschile singolare	femminile singolare	maschile plurale	femminile plurale
il commesso maestro cameriere	**la** commessa maestra cameriera	**i** commessi maestri camerieri	**le** commesse maestre cameriere
l' operaio	**l'** operaia	**gli** operai	**le** operaie
lo scienziato zoologo	**la** scienziata zoologa	**gli** scienziati zoologi	**le** scienziate zoologhe

Articoli indeterminativi: **un, uno, una, un'**

maschile singolare	femminile singolare	maschile plurale	femminile plurale
un maestro operaio	**una** maestra **(un')** operaia	(dei) maestri (degli) operai	(delle) maestre (delle) operaie
uno scienziato zoologo	**una** scienziata zoologa	(degli) scienziati zoologi	(delle) scienziate zoologhe

Presente indicativo del verbo irregolare FARE

faccio
fai
fa
facciamo
fate
fanno

Presente indicativo del verbo FINIRE
(come PREFERIRE, CAPIRE, PULIRE, ecc.)

finisco finisci finisce finiamo finite finiscono	preferisco preferisci preferisce preferiamo preferite preferiscono	capisco capisci capisce capiamo capite capiscono	pulisco pulisci pulisce puliamo pulite puliscono

Avverbi di quantità	:	poco, abbastanza, molto, troppo…
Avverbi di tempo	:	presto, tardi…
Interrogativi	:	Quanto… ?
Aggettivi qualitificativi	:	pesante, leggero, sicuro, precario, …

In famiglia

1 LA FAMIGLIA DI VERONICA

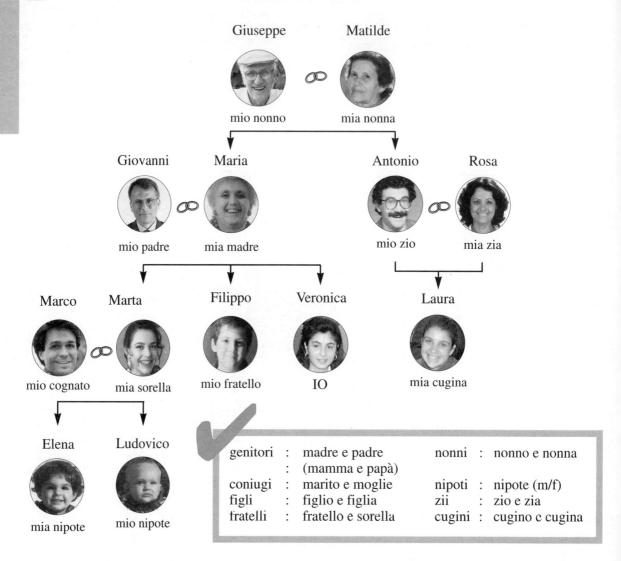

Giuseppe — mio nonno
Matilde — mia nonna

Giovanni — mio padre
Maria — mia madre
Antonio — mio zio
Rosa — mia zia

Marco — mio cognato
Marta — mia sorella
Filippo — mio fratello
Veronica — IO
Laura — mia cugina

Elena — mia nipote
Ludovico — mio nipote

genitori	:	madre e padre	nonni	: nonno e nonna
	:	(mamma e papà)		
coniugi	:	marito e moglie	nipoti	: nipote (m/f)
figli	:	figlio e figlia	zii	: zio e zia
fratelli	:	fratello e sorella	cugini	: cugino e cugina

a) Completa con i nomi di parentela.

1. Veronica è .... di Giovanni e Maria.
2. Giovanni e Maria sono i .... di Veronica, Giovanni è il .... e Maria è la ....
3. Veronica è .... di Marta e Filippo. Filippo è .... di Marta e Veronica.
4. Marta e Filippo sono i .... di Veronica e i .... di Laura.
5. Antonio è lo .... di Veronica e Rosa è la ....
6. Antonio e Rosa sono gli .... di Veronica e i .... di Laura.
7. Giuseppe e Matilde sono i .... di Veronica.
8. Marta è la .... di Giuseppe e Matilde, la .... di Marco e la .... di Elena e Ludovico.

b) Continua tu con altri esempi.

c) Ascolta la registrazione e completa con gli aggettivi possessivi e i nomi di parentela.

In famiglia siamo cinque. Io sono Veronica. I miei fratelli si chiamano .... e Filippo.
.... è sposata. I miei genitori hanno 50 anni, sono coetanei.
.... si chiama Maria e .... Giovanni.
I miei nonni sono anziani, ma stanno bene. .... si chiama Giuseppe e ....
nonna Matilde.
.... Antonio e .... Rosa sono i genitori di Laura, ...
I miei nipoti, sono Elena e ....
.... Marco è dirigente in una ditta di import-export.

2

a) Completa la tabella con i dati dei tuoi familiari.

La mia famiglia

Parentela	nome	età	abitante a	stato civile	professione
padre					

b) Rispondi alle seguenti domande.

1. Quanti siete in famiglia? Quanti fratelli e quante sorelle hai?
2. Dove abitano i tuoi genitori?
3. Hai parenti in Italia? Quali?
4. Quanti anni hanno i tuoi fratelli e le tue sorelle?
5. Sono sposati?
6. Che lavoro fanno?

c) Rivolgi le stesse domande ai tuoi compagni per avere informazioni sulla loro famiglia.

3 EVVIVA LA FAMIGLIA!

Noi siamo una famiglia unita.
I miei genitori sono anche miei amici.
Mio padre è molto occupato nel lavoro, ma quando può sta in famiglia.
Mio fratello frequenta la scuola media, io sono una studentessa delle superiori.
Mia madre insegna e si occupa della casa.
Anche mio padre aiuta in casa.
Mio zio ama i viaggi e spesso partiamo tutti con lui. I miei nonni abitano vicino a noi e la domenica pranziamo insieme.
Al pomeriggio arrivano mia sorella e mio cognato con i loro bambini. Io gioco e mi diverto con i miei nipotini.
Insomma stiamo bene insieme.

4 C'È FAMIGLIA E FAMIGLIA!

Mi chiamo Luca e ho sedici anni.
Sono figlio unico, non ho fratelli né sorelle.
Mio padre è sempre fuori per lavoro, ma quando è in casa è stanco e nervoso.
Mia madre è casalinga. I miei genitori non vanno molto d'accordo.
A me non piace stare in famiglia, preferisco stare con i miei amici.

TRA MOGLIE E MARITO NON METTERE IL DITO

a) Indica la risposta corretta, come nell'esempio:

1. Veronica ha una famiglia
   - ☒ unita e felice.
   - ☐ infelice.
   - ☐ divisa.

2. Stanno tutti
   - ☐ poco insieme.
   - ☐ male insieme.
   - ☐ bene insieme.

3. Veronica viaggia spesso
   - ☐ con i suoi amici.
   - ☐ con i suoi zii.
   - ☐ con la sorella.

4. La domenica pomeriggio Veronica
   - ☐ va con gli amici.
   - ☐ sta in casa da sola.
   - ☐ gioca con i suoi nipotini.

b) Rispondi alle domande.

1. Luca ha fratelli e sorelle? ....

2. Com'è in casa il padre di Luca? ....

3. Che lavoro fa la mamma di Luca? ....

4. Vanno d'accordo i genitori di Luca? ....

5. Luca sta volentieri in famiglia? ....

c) Completa.

La famiglia di Veronica è ....

I genitori di Veronica sono anche suoi ....

Veronica sta volentieri in .... e la domenica pranza con i suoi ....

La famiglia di Luca invece non è ....

perché i suoi genitori ....

Luca preferisce stare con i suoi ....

5

a) Indica i contrari, come nell'esempio:

1. famiglia felice	– litigare
2. vivere in famiglia	– star male in famiglia
3. star bene in famiglia	– famiglia divisa
4. famiglia unita	– divorziare, separarsi
5. famiglia ricca	– famiglia all'antica (o tradizionale)
6. andare d'accordo	– famiglia piccola
7. famiglia numerosa	– famiglia infelice
8. famiglia moderna	– vivere fuori casa
9. sposarsi (metter su famiglia)	– famiglia povera

b) Vivi in famiglia o da solo? Com'è la tua famiglia?
Ti piace stare in famiglia? Perché?

Rispondi e rivolgi le domande ai compagni.

c) Completa il cruciverba e leggi la parola ottenuta in verticale.

1. È figlio dello stesso padre
2. La moglie dello zio
3. Sta con la moglie
4. I genitori dei genitori
5. Sta con il marito
6. Li hanno i genitori
7. Il figlio del figlio
8. Papà

1 | F | R | A | T | E | L | L | O |

6 · I POSSESSIVI CON I NOMI DI FAMIGLIA O DI PARENTELA

	mio	padre		mia	madre
	tuo	fratello		tua	sorella
	suo	marito		sua	moglie
	nostro	nonno		nostra	nonna
	vostro	cugino		vostra	cugina
il	loro	figlio, zio, nipote, ...	**la**	loro	figlia, zia, nipote, ...

	miei	genitori		mie	sorelle
	tuoi	figli		tue	figlie
i	suoi	cugini	**le**	sue	cugine
	nostri	zii		nostre	zie
	vostri	nipoti		vostre	nipoti
	loro	nonni		loro	nonne

Attenzione! La mamma ama i **suoi** figli • I genitori amano i **loro** figli

a) Completa.

La mia famiglia viene dal sud. .... genitori sono venuti a Torino nel 1965, ... nonni invece sono rimasti in Puglia, a Cerignola. Io, ... fratelli e .... sorelle siamo nati qui. Io lavoro alla Fiat, anche .... fratello Rocco è operaio come me. Ora .... padre è in pensione e .... madre durante il giorno tiene .... figlio piccolo, perché .... moglie lavora. A Natale arrivano .... cugini con i .... figli.

Tu	**Lei**
Come sta tua madre?	Come sta sua madre?
C'è tuo marito?	C'è suo marito?
Sono i tuoi figli?	Sono i suoi figli?
Ecco le tue sorelle!	Ecco le sue sorelle!

b) Completa.

Ciao Mario, c'è .... sorella? No, non c'è.

Buon giorno, sta bene? E .... moglie come sta?

Mi scusi, ... marito è in casa? No, ... marito non c'è.

Signor Polidori, sono arrivate .... sorelle?

Allora Mauro, vengono anche .... fratelli con noi?

I POSSESSIVI

(io)	il	mio	bambino		la	mia	bambina	i	miei	bambini	le	mie	bambine
(tu)		tuo				tua			tuoi			tue	
(lui)		suo		(lei)		sua			suoi			sue	
(noi)		nostro				nostra			nostri			nostre	
(voi)		vostro				vostra			vostri			vostre	
(loro)		loro				loro			loro			loro	

Attenzione!	il bambino di Pietro /Anna	il suo bambino
	la bambina di Pietro /Anna	la sua bambina
	il bambino di Pietro e di Anna	il **loro** bambino

a) Completa domande e risposte.

	Tu		Lei

                     Tu   Lei

1. .... Sono i suoi bambini?

2. Carla è la tua bambina? ....

3. .... Come sta il suo bambino?

4. Dov'è il tuo amico? ....

5. Arrivano i tuoi parenti per Natale? ....

6. .... Come stanno le sue bambine?

7. Vanno a scuola i tuoi bambini? ....

8. ....figli? Nino e Lella sono i suoi figli?

b) Trasforma al plurale.

1. Lavoro per i miei figli.   Noi ....

2. Accompagni i tuoi bambini.   Voi ....

3. Carlos pensa ai suoi figli.   Carlos e Dolores ....

4. Fen Fen ama il suo paese.   I cinesi ....

5. Said incontra i suoi amici.   Said e Ali ....

8 LA MIA FAMIGLIA È NUMEROSA

Attenzione!

maggiore – maggiori
minore – minori
il primo – l'ultimo

La mia famiglia è numerosa: siamo in sette. Io sono Aziz; sono il figlio maggiore e aiuto i miei genitori a mantenere la famiglia.
I miei fratelli non lavorano ancora, le mie sorelle Leila e Majda vanno a scuola. Majda ha 8 anni ed è la minore.
Sono venuto in Italia con mio padre a cercare lavoro.
Adesso faccio il cuoco in un ristorante. Mia madre e i miei fratelli sono ancora nel mio paese. Sento molto la mancanza dei miei familiari.

a) Leggi e trasforma alla seconda e alla terza persona singolare.

La sua famiglia è numerosa: sono in sette. Aziz è ...
La tua famiglia è numerosa: siete in sette. Tu sei...

b) Continua come nell'esempio:

(fratello, Franco, 28, architetto) – Mio fratello si chiama Franco, ha 28 anni, fa l'architetto.

1. madre, Vanna, 57, casalinga.
2. marito, Sergio, 40, medico.
3. sorelle, Ida e Sofia, 30 e 32, insegnanti.
4. figlia, Laura, 30, giornalista.
5. cugino, Fausto, 42, avvocato.
6. genitori, Guido e Maria, 50, negozianti.

c) Continua come nell'esempio:

(sorella, Roma, scienze politiche) – Mia sorella abita a Roma, fa (studia) scienze politiche.

1. cugino, Pavia, medicina.
2. zio, Torino, architettura.
3. sorelle, Padova, psicologia.
4. fratelli, Napoli, ingegneria.
5. cognato, Firenze, lingue.
6. cugini, Palermo, legge.

MAMMO È BELLO?

Una famiglia moderna: il papà è un po' "mammo".

a) Completa.

Noi .... una famiglia moderna.	(essere)
Mio marito .... la spesa, ... ,	(fare, lavare)
.... e pulisce la casa, proprio come me.	(stirare)
Tutti e due .... nostro figlio Francesco	(curare)
che .... 9 mesi.	(avere)
Se Francesco .... malato, noi	(essere, stare)
a casa a turno dal lavoro.	
Quando io non ci .... , mio marito	(essere)
.... la pappa, ... il bambino	(preparare, cambiare)
e lo mette a letto, proprio come faccio io.	

Una famiglia tradizionale

La mia è una famiglia all'antica.
Mio marito pensa al lavoro e alla
carriera, io alla casa e ai figli.

a) Scrivi le didascalie sotto i disegni.

4

....

....

....

(matrimonio, nascita secondo figlio, nozze d'argento,
fidanzamento, nascita primo figlio, il primo nipote)

IN ITALIA LA FAMIGLIA È SEMPRE PIÙ PICCOLA

Le famiglie italiane sono sempre più piccole, come si rileva dagli ultimi censimenti.
Nel 1951 ogni famiglia era composta in media da 4 persone; nel 1961, dieci anni dopo, da 3,6; nel 1971, da 3,3; nel 1981 da sole 3 persone e dai dati del censimento del 1991, la famiglia italiana è composta in media da 2,83 persone.

FAMIGLIE PICCOLE PICCOLE

L'UOMO CASALINGO

4

In molte famiglie italiane marito e moglie lavorano tutti e due e si occupano insieme della casa e dei figli. Anche il marito lava i piatti, fa la spesa, le pulizie in casa e cambia i pannolini ai bambini. Ecco come hanno risposto le donne a un'indagine della rivista «SETTE Corriere della Sera» del febbraio 1994:

QUALI LAVORI SVOLGE SUO MARITO?

FA LA SPESA **72%**
CUCINA **43%**
LAVA I PIATTI **48%**
PULISCE LA CASA **52%**

SUO MARITO CAMBIA (O HA CAMBIATO) I PANNOLINI A SUO FIGLIO?

SI spesso o talvolta **63%**
NO mai o quasi mai **37%**

I POSSESSIVI

	maschile singolare			maschile plurale
(io)		mio		miei
(tu)		suo		tuoi
(lui-lei)		suo		suoi
(Lei)	il	Suo	i	Suoi
(noi)		nostro		nostri
(voi)		vostro		vostri
(loro)		loro		loro
(Loro)		Loro		Loro

POSSESSIVI
con i nomi di famiglia o di parentela

Al singolare

	mio			mia	
	tuo			tua	
	suo			sua	
	Suo	fratello		Sua	sorella
	nostro			nostra	
	vostro			vostra	
il	loro		la	loro	
il	Loro		la	Loro	

Al plurale

	miei			mie	
	tuoi			tue	
	suoi			sue	
i	Suoi	fratelli	le	Sue	sorelle
	nostri			nostre	
	vostri			vostre	
	loro			loro	
	Loro			Loro	

Prendi qualcosa al bar?

1 ANDIAMO A BERE QUALCOSA AL BAR? SÌ, VOLENTIERI.

CESARE	Oggi offro io. Che cosa prendete?
MARTA	Per me una birra, grazie.
GIANNI	Anch'io prendo una birra.
MARISA	Un caffè ristretto, grazie.
ANITA	Per me un cappuccino.
CESARE	E tu, Stefano, che cosa bevi?
STEFANO	Un tè freddo.
CESARE	Cameriere!
CAMERIERE	Che cosa ordinate?
CESARE	Allora... due birre, un caffè ristretto, un cappuccino, un tè freddo e una Coca-Cola.
CAMERIERE	Potete pagare alla cassa, prego.

TU - VOI

E tu, Gianni,	che cosa prendi?
E vo,i	che cosa prendete?
E tu, Stefano,	che cosa bevi?
E voi,	che cosa bevete?

LEI - LORO

E Lei, signora,	che cosa prende?
I signori Rossi,	che cosa prendono?
E Lei signora,	che cosa beve?
I signori Rossi,	che cosa bevono?

a) Abbina la parola all'immagine, come nell'esempio:

1. una spremuta d'arancia	6. una lattina di Coca-Cola
2. una birra	7. un bicchiere di vino bianco
3. un caffè	8. un bicchiere di acqua minerale
4. un cappuccino	9. un tè al limone
5. un aperitivo	10. un'aranciata

Attenzione!

una tazzina	di caffè		un bicchiere	di vino.
una tazza	di tè		una lattina	di Coca-Cola.

b) Chiedi a un compagno se vuol prendere qualcosa al bar. Poi fate delle ordinazioni.

Bevi qualcosa?
Prendi un caffè?

Sì, volentieri.
Sì, grazie.
No, grazie, non ho sete.
No, preferisco di no.

Vorrei un caffè.
Mi dà uno spumantino.
Un cappuccino, per favore.

Posso avere… un'aranciata?
una cioccolata?
un'altra birra?
un altro tè?

c) Continua tu, con domanda e risposta, come nell'esempio:

c) Preferisci il tè caldo o il tè freddo?
Preferisco il tè caldo.

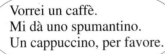

1. il tè al limone o al latte?
2. un'aranciata o una Coca-Cola?
3. un aperitivo alcolico o un [uno] analcolico?

4. il caffè con poco o tanto zucchero?
5. una spremuta d'arancia o di pompelmo?
6. un digestivo o un whisky?

2 ALLA CASSA

CLIENTE
Quant'è?
Quanto pago?
Quanto fa?
Quanto le devo
per un caffè,
due tè ...?

4.100

CASSIERA   Non ho da cambiare. Ha moneta?
CLIENTE   Penso di sì, guardo... Mi dispiace, non ho moneta.

1.100 = millecento
1.500 = millecinquecento
2.050 = duemilacinquanta

5.600 = cinquemilaseicento
6.700 = seimilasettecento
9.350 = novemilatrecentocinquanta

a) Leggi ad alta voce le cifre degli scontrini.

FONZI BAR
FONZI GIANFRANCO
VIA SANTA MAURA 23 ROMA
PARTITA IVA 00630090587
TEL.39724873

REPARTO2   1'000
REPARTO2   1'000
TOTALE   2'000
    GRAZIE

BAR BIANCO-REDA SNC-
GIARDINI PUBBLICI
PORTA VENEZIA-MILANO
PART.IVA 07204410158

IVA 9%   1.100
IVA 9%   900
TOTALE   2   2.000

BAR GALLERIA
RI.DE SRL
GAL.V.EMANUELE II 75
PART.IVA 03453490157

REPARTO 2   1.500

TOTALE 1   1.500

CASS. 1   CASSA   1
01-03-94 SCONTR. N. 273
MILANO TEL. 86464912

F X 13000356

BAR PRIMULA SNC
V. GARIBALDI 140
CAMOGLI
P.I.02721530109

                 1 200 D1
CONT   1 200
24   15-10-93
BA   6692944

SABI BAR
DI CAPRIOLI S.
VIA NEGROLI 7
MILANO
P.I.04927300154

DIP1   1 600
DIP1   1 200
DIP1   1 000
TOTALE   3 800
CONTANTE
28-02-94   35
BB   6538882

3

Un caffè, quant'è?

1.300 lire.

Un cappuccino e una brioche, quant'è?

3.000 lire.

BAR CAFFÈ SPLENDOR
Listino prezzi

caffè espresso	L 1.300	birra nazionale	L 2.500
decaffeinato	L 1.500	birra estera	L 3.500
cappuccino	L 1.800	spremuta	L 3.000
cioccolata	L 2.500	succo di frutta	L 2.500
tè	L 1.900	aperitivo	L 3.000
tè freddo	L 2.000	aperitivo della casa	L 5.000
bicchiere minerale	L 800	amaro	L 3.000
bicchiere latte	L 1.500	liquore nazionale	L 3.500
bicchiere vino	L 2.500	liquore estero	L 4.500
bibita in lattina	L 2.500	liquore di marca	L 6.000

a) Un compagno fa la sua ordinazione e chiede il costo. L'altro compagno fa la cassiera e risponde. Continua l'esercizio, come negli esempi:

DOMANDA

RISPOSTA

1. Un cappuccino, quant'è?

Mille e ottocento lire.

2. Un caffè e due tè, quant'è?

Cinquemila e cento lire.

3. Una birra e una spremuta, quanto pago?

....

4. ....

....

5. ....

....

6. ....

....

7. ....

....

8. ....

....

9. ....

....

10. ....

....

4 CHE NE DICI DI UNO SPUNTINO? SÌ, VOLENTIERI.

Il signor Ricci e un suo collega decidono di andare al bar a fare uno spuntino.

RICCI	Che ne dici di uno spuntino?
COLLEGA	Volentieri, è già l'una e comincio ad avere appetito.
RICCI	Ti va il bar "Lux"? Fanno degli ottimi panini.
COLLEGA	Va bene, andiamo.

Al bar

RICCI	Cameriere, c'è un tavolino libero?
CAMERIERE	Un attimo, prego... Ecco qua. Volete anche mangiare qualcosa?
COLLEGA	Sì, possiamo avere la lista?
CAMERIERE	Ecco a voi.
RICCI	Mmm…, tu che cosa prendi?
COLLEGA	Un panino con mozzarella e pomodoro.
RICCI	Io un vegetariano, con zucchini, melanzane e spinaci.
CAMERIERE	E da bere che cosa porto?
RICCI	Per me un succo di pomodoro.
COLLEGA	Per me una spremuta d'arancio.
CAMERIERE	Basta così?

1. toast

2. pizzetta

3. piadina al formaggio

4. panino con mozzarella e pomodoro

5. vegetariano

6. panino con prosciutto (cotto o crudo)

7. panino con cotoletta

8. tramezzino

a) Indica la risposta corretta.

1. Il signor Ricci invita al bar

☐ un amico.
☐ un collega di lavoro.
☐ un conoscente.

2. I due colleghi

☐ trovano subito posto.
☐ non trovano posto.
☐ aspettano un momento.

3. I due colleghi

☐ bevono e fanno uno spuntino.
☐ mangiano solamente.
☐ bevono e basta.

5

b) Completa.

Il signor Ricci invita .... a fare uno ....

al .... Il collega accetta l'invito. Il signor Ricci ordina ....

e il suo collega invece ....

Il cameriere chiede che cosa vogliono .... Il signor Ricci beve ....

e il suo collega .... I due colleghi scelgono il bar "Lux" perché ....

.... ,

Le parole per ordinare

Vorrei un toast.
Mi dà un panino al prosciutto?
Posso avere un tramezzino?
Una pizzetta, per favore.

Le parole per pagare

Il conto, per favore.
Pago alla cassa? Quanto pago?
Un panino e una spremuta,
Quant'è? Quanto fa?

---

c) Sei in un bar e ordini da bere e da mangiare al cameriere.
   Inventa il dialogo con un tuo compagno, facendo a turno il cliente e il cameriere.

5 CHE COSA BEVI? CHE COSA BEVE?

> Io, una cioccolata calda.

> Noi, tre caffè ristretti.

> Io bevo un latte macchiato.

> Noi beviamo il tè freddo.

> Noi, due birre ghiacciate.

bevo	un caffè ristretto
bevi	un caffè lungo
beve	una bibita ghiacciata
beviamo	due cappuccini ben caldi
bevete	due tè freddi
bevono	due cioccolate calde

a) Completa con il verbo «bere».

1. Io .... il caffè, e tu che cosa .... ?

2. Noi .... delle bibite fresche, e voi che cosa .... ?

3. Lei, signora, che cosa .... ? I suoi figli che cosa .... ?

4. I signori, ... qualcosa? Sì, ... un'aperitivo.

5. Tu e Alex, che cosa .... ? Io e Karim non ....

Singolare	Plurale
un caffè ristrett**o**	due caffè ristrett**i**
un tè caldo	tre tè caldi
una bibita fredd**a**	due bibite fredd**e**
una birra ghiacciata	tre birre ghiacciate

b) Continua come nell'esempio.

	Singolare		Plurale	
	m	f	m	f
	o	**a**	**i**	**e**

1. Io bevo un caffè cald**o**.   x ....

2. Lei beve una birra fredd _ . ...

3. Noi beviamo due birre fredd _ . ...

4. Voi prendete due toast cald _ . ...

5. Ti piace il tè fredd _ ? ....

6. Mangi le patatine fritt _ ? ....

7. Mi piacciono la birra e il vino fresch _ . ...

6

(a me)	**mi**	piace il caffè	(a noi)	**ci**	piacciono i dolci
(a te)	**ti**	piace il tè?	(a voi)	**vi**	piace la focaccia?
(a lui)	**gli**	piace il cappuccino?	(a loro)	**gli**	piace la pizza?
(a lei)	**le**	piace l'espresso			(piace loro la pizza?)

a) Completa i fumetti.

Tommaso, che cosa .... piace?

... piace l'aperitivo della casa.

Signora, che cosa ... piace?

... piace la cioccolata calda.

Ciao Leo, ciao Sara, che cosa. ... posso offrire?

Un caffè, grazie.

Signora, che cosa ... posso offrire?

Niente, grazie.

b) Completa le frasi.

1. Invito Maria al bar e .... offro una bibita.

2. Inviti Giorgio al bar e .... offri l'aperitivo.

3. Andiamo al bar perché .... piace bere insieme.

4. Samia e Omar, andiamo al bar! Che cosa .... posso offrire?

5. I miei amici vanno al bar perché .... piace incontrare la gente e chiacchierare.

6. Giacomo, andiamo al bar? Che cosa .... posso offrire?

c) Continuate, come nell'esempio:
   (a te) caffè, cappuccino? (a me) caffè - Ti piace il caffè o preferisci il cappuccino? Mi piace il caffè.

1. (a lui) toast, panino? (a lui) panino
2. (a te) caffè, tè? (a me) caffè
3. (a loro) tramezzino, piadina? (a loro) tramezzino
4. (a voi) pizza e pasta? (a noi) pizza
5. (a lei) birra, aranciata? (a lei) aranciata
6. (a Lei) caffè caldo, caffè freddo? (a me) caffè caldo

d) Trasforma al plurale, come nell'esempio:

Mi piace il panino imbottito   **Ci piacciono** i panini imbottiti

1. Mi piace il panino caldo   ....

2. Ti piace la pizzetta calda?   ....

3. Gli piace l'aperitivo della casa   ....

5

Pino incontra Gigi per la strada. Lo saluta e lo invita a bere qualcosa in un bar vicino.

a) Lavora con un compagno: completa il dialogo.

Saluta e chiede come va.	PINO	....
		....
	GIGI	Bene grazie. E tu come stai?
Risponde e invita Gigi al bar.	PINO	....
		....
	GIGI	Volentieri, grazie; così parliamo un po'.
Chiede che cosa vuole prendere.	PINO	....
		....
	GIGI	Un caffè, grazie.
Fa le due ordinazioni al barista.	PINO	....
		....
Chiede alla cassiera quanto deve pagare.	PINO	....
	CASSIERA	....

b) Ascolta la registrazione e poi invita al bar una persona usando il Lei «formale».

c) Raccogli in una lista quello che tu e i tuoi compagni desiderate bere in questo momento.
Poi scrivi le ordinazioni per il barista, come nell'esempio.

al barista
per cortesia, ci porti:
2 caffè caldi
1 caffè freddo
3 tè
1 bicchiere di latte
1 Coca cola
GRAZIE!

....
....
....
....
....
....
....
....

GLI ITALIANI E IL BAR

Di solito gli italiani, al bar, stanno in piedi. Prendono un caffè o un cappuccino, bevono in fretta una bibita o mangiano qualcosa, e poi... subito via!

Alcuni bar sono però un ritrovo per i giovani che si incontrano e per gli uomini che giocano a carte o al biliardo.

Ci sono degli antichi caffè italiani noti in tutto il mondo. Qui si danno appuntamento uomini famosi e turisti di tutte le nazionalità.

Sono, ad esempio, il Caffè Florian e l'Harry's Bar a Venezia, il Giubbe Rosse a Firenze, il Caffè Greco a Roma, il Caffè Pedrocchi a Padova, il Biffi in Galleria a Milano.

Il *Caffè Greco* a Roma in un acquarello del 1852 del pittore Ludwig Passini .

Una sala del *Caffè Greco* a Roma.

Una sala del *Caffè Florian* a Venezia.

Presente indicativo del verbo irregolare BERE

bevo
bevi
beve
beviamo
bevete
bevono

Pronomi personali INDIRETTI

(a me)	mi	(a noi)	ci
(a te)	ti	(a voi)	vi
(a lui)	gli	(a loro)	gli
(a lei)	le		(loro)
(a Lei)	Le		

Pronomi personali INDIRETTI + piace, piacciono

mi		ci	
ti		vi	piace
gli	piace	gli	piacciono (loro)
le	piacciono		
Le			

Il condizionale di cortesia: Vorrei ...

Concordanze:	**Nomi**	+	**Aggettivi**
Singolare	Un cappuccino		caldo
	Una birra		fredda
Plurale	Due cappuccini		caldi
	Due birre		fredde

Si va a cena fuori ?

6

Tovaglie a scacchi, vino nella brocca e cucina casalinga

Agli italiani piace andare in trattoria.

I piatti sono semplici e gustosi, il vino è genuino. Il servizio è alla buona: sui tavoli tovaglie a quadri e brocche per il vino sfuso, il menù a voce, la gestione familiare. D'estate si può mangiare all'aperto, sotto l'ombra di un pergolato.

Se non si vuole spendere molto e si vuole mangiare sano e genuino si va in trattoria, dove i prezzi non sono alti. Non si devono però chiedere cibi strani e raffinati, ma preferire la cucina casalinga, i piatti fatti in casa, le specialità regionali. Sui piatti possono arrivare le verdure fresche dell'orto, i polli della cascina vicina e i salumi nostrani di produzione propria. E... tra una portata e l'altra, tante chiacchiere con gli amici e molta allegria!

a) Indica la risposta corretta.

1. Che cos'è la trattoria?

☐ un locale dove si fa una cucina casalinga.
☐ un locale con tanti piatti raffinati.
☐ un locale dove si spende molto per mangiare.

2. In trattoria i cibi sono:

☐ molto vari ed elaborati.
☐ semplici, sani e genuini.
☐ strani e costosi.

3. D'estate si può mangiare

☐ dentro il locale.
☐ all'aperto.
☐ in piedi.

4. Gli italiani mangiano

☐ spesso al ristorante.
☐ sempre in casa.
☐ volentieri in trattoria.

5. Gli italiani preferiscono la trattoria, perché

☐ il cibo è buono e non si spende molto.
☐ c'è molta scelta di piatti.
☐ il locale è molto elegante.

b) Rispondi a ogni domanda con una frase.

1. Quali sono i cibi genuini che si possono mangiare in trattoria?

....

2. Com'è il vino?

....

3. Com'è la cucina in trattoria?

....

4. Com'è il servizio?

....

5. Si spende molto?

....

tagliatelle   pollo arrosto   tovaglia

piatto   bicchiere   tovagliolo

coniglio

gnocchi di patate

forchetta   coltello   cucchiaio

2 DOV'È UNA TRATTORIA DOVE SI MANGIA BENE E NON SI SPENDE MOLTO?

Anna e Mario cercano una trattoria; Mario chiede informazioni a un passante.

MARIO   Scusi, ci può indicare una buona trattoria?
PASSANTE   Qui vicino c'è «La Torre»: cucina casalinga, prezzi bassi.
MARIO   Che strada devo fare?
PASSANTE   Allora... deve andare diritto, poi prende la prima via a sinistra.
MARIO   Grazie tante!
PASSANTE   Buon appetito!

3 CHE COSA C'È DI BUONO OGGI?

CAMERIERE   Che cosa volete mangiare?
MARIO   Che cosa c'è di buono oggi?
CAMERIERE   Come antipasto: salumi nostrani. Come primo: tagliatelle al ragù fatte in casa, gnocchi di patate e spaghetti al pomodoro e basilico.
ANNA   Per me niente antipasto, tagliatelle al ragù.
MARIO   Per me, gnocchi di patate al pomodoro.
CAMERIERE   Come secondo abbiamo: pollo arrosto, coniglio in umido e stracotto.
ANNA   Per me, pollo arrosto.
MARIO   Per me, coniglio in umido.
CAMERIERE   Come contorno volete dell'insalatina dell'orto?
MARIO, ANNA Sì, grazie.
CAMERIERE   Per finire vi consiglio una torta di mele appena fatta.
MARIO, ANNA Va bene.
CAMERIERE   E da bere, cosa prendete?
MARIO   Ci porti mezzo litro di vino rosso e una bottiglia di acqua minerale gassata.

a) Indica la risposta corretta.

	Vero	Falso
1. A «La Torre» si mangia bene e si spende poco.	☐	☐
2. I due clienti mangiano l'antipasto.	☐	☐
3. Mangiano il primo e il secondo.	☐	☐
4. Non mangiano il contorno.	☐	☐
5. Ordinano anche la torta di mele.	☐	☐

Che cosa vuol mangiare? Il signore che cosa ordina? Che cosa volete mangiare? I signori che cosa ordinano?	Per me… Mi porti… Vorrei… Come primo… Come secondo… Per noi… Ci porti…

MENÙ del GIORNO

ANTIPASTI

Affettati misti

PRIMI

Tagliatelle al ragù
gnocchi di patate
spaghetti al pomodoro

SECONDI

Pollo arrosto
coniglio in umido
stracotto

DA FARSI

bistecca ai ferri
cotoletta alla milanese

CONTORNI

Insalata verde
patate fritte

FORMAGGI

mozzarella
fontina
gorgonzola

FRUTTA

di stagione
macedonia

DOLCE

torta di mele
tiramisù

BEVANDE

Vino sfuso bianco e rosso
acqua minerale naturale e gassata
birra
bibite varie

a) Con un compagno inventa un dialogo che ha come protagonisti due passanti; uno è in cerca di una trattoria dove mangiare.

b) Leggi il menù e immagina di essere in trattoria. Fai a turno con i compagni il ruolo del cliente e quello del cameriere.

c) Ascolta la registrazione e indica sul menù i piatti ordinati dal signor Berti.

4 SI PUÒ AVERE IL CONTO?

– Volete altro? Basta così?
• Basta così, grazie. Si può avere il conto?
– Ecco a Lei.

> Posso avere il conto?
> Il conto, per favore.
> Quanto Le devo?

10.000	diecimila
11.500	undicimilacinquecento
15.050	quindicimilacinquanta
16.950	sedicimilanovecentocinquanta
20.050	ventimilacinquanta
50.000	cinquantamila
100.000	centomila
150.000	centocinquantamila
206.400	duecentoseimilaquattrocento
350.000	trecentocinquantamila

a) Ascolta la registrazione e poi leggi ad alta voce le cifre del conto del ristorante.

5

Tre amici sono in un ristorante dove si mangiano specialità di mare.

una bottiglia di vino bianco e una bottiglia di acqua minerale gassata

spaghetti ai frutti di mare

branzino al sale

panna cotta

coppa mista di gelato

Torta ai frutti di bosco

risotto alla marinara

cernia al forno

trancio di pesce spada

tagliolini al salmone

a) Trascrivi sulle colonne i piatti che i tre amici hanno mangiato, come nell'esempio.

Primi   *spaghetti ai frutti di mare*   ....

Secondi   ....

Dolce.   ....

Bevande   ....

6 VUOI VENIRE A CENA FUORI? MI DISPIACE, MA NON POSSO. DEVO...

IDA Ciao Camilla, vuoi venire a cena fuori con noi stasera?

CAMILLA Mi dispiace, ma non posso.

IDA Peccato! Siamo una bella compagnia e «Allo scoglio» ci sono tante specialità...
  Sarà per un'altra volta!

CAMILLA Grazie per l'invito. Scappo, devo andare a far la spesa.

IDA Ciao, a presto.

7 FARE LA SPESA

SIGNORA Mi dà un etto di prosciutto crudo e mezzo etto di cotto.

NEGOZIANTE Poi?

SIGNORA Due o tre etti di caciotta toscana.

NEGOZIANTE E poi che cosa le do?

SIGNORA Vorrei anche una bella fetta di gorgonzola, due etti circa.

NEGOZIANTE Desidera altro? Vuole delle mozzarelle fresche?

SIGNORA Sì, una.

NEGOZIANTE Basta così?

SIGNORA Ah, ... mi dia anche un etto di burro e un litro di latte.

NEGOZIANTE È tutto?

SIGNORA Per oggi sì, grazie. Quant'è?

NEGOZIANTE 23.600 lire.

SIGNORA Ecco a lei.

Mi dà ... un etto di salame.
Mi dia ... un chilo di carne.
Vorrei ... un litro di latte.
Posso avere ...?

Desidera?
Poi che cosa le do?
Desidera altro?
Basta così? È tutto?

---

a) Immagina di andare a fare la spesa:
fai le ordinazioni a un tuo compagno che finge di essere il negoziante; poi scambiatevi i ruoli.

8 AL SUPERMERCATO.

Marito e moglie sono al supermercato.

MARITO   Ecco qua la lista. Allora... per la colazione un barattolo di miele e due vasetti di marmellata.

MOGLIE   Non dobbiamo dimenticare i biscotti. Prendine tre pacchetti e anche un pacco di fette biscottate confezione famiglia.

MARITO   Poi ci servono quattro scatole di pomodori pelati.

MOGLIE   E una bottiglia di olio extravergine.

MARITO   C'è una confezione da tre molto conveniente.

MOGLIE   Mancano i surgelati. Prendiamo una busta di piselli e una busta di verdure già pronte per il minestrone.

MARITO   Compriamo anche frutta e verdura?

MOGLIE   No, preferisco andare domani al mercato. La merce è fresca e i prezzi sono convenienti.

a) Che cosa hanno comprato al supermercato i coniugi Rinaldi? Completa la tabella seguente, come nell'esempio.

	CONTENITORI		PRODOTTO
ci serve	*un barattolo*		*miele*
ci servono	*due vasetti*	di	

b) Devi fare la spesa. Fai una lista di cose che ti servono usando il nome dei contenitori e cambiando il prodotto, come nell'esempio:

(Mi serve)   un pacco di zucchero
(Mi servono)   due pacchi di caffè

9 DOVE MANGIARE?

a) Completa.

Il papà .... andare a cena fuori. La zia .... mangiare in trattoria. Due figli .... andare in pizzeria, mentre il figlio minore e i suoi amici .... mangiare al Burghy. La mamma e la nonna .... andare al ristorante.

b) Completa e poi rispondi alle domande.

Tu - Voi	Lei - Loro
E tu dove .... mangiare?	E lei che cosa .... mangiare?
E voi dove .... mangiare?	E loro che cosa ....mangiare?

Vuoi venire con noi in pizzeria?

Non **posso**, **devo** studiare.

Signor Tosi, vuole venire con noi al ristorante?

Non **posso**, **devo** lavorare.

Io non **posso, devo** partire. Tu non **puoi, devi** uscire. Lui non **può, deve** lavorare.	Noi non **possiamo, dobbiamo** studiare. Voi non **potete, dovete** partire. Loro non **possono, devono** andare via.

c) Continua come nell'esempio.
   (Io, lavorare) – Io non posso, devo lavorare.

1. tu, studiare.
2. Loro, partire.
3. Lui, andare a casa.

4. Lei, andare a fare la spesa.
5. Noi, andare a scuola.
6. Voi, preparare la cena.

d) Rivolgi ai tuoi compagni la domanda: Vuoi venire a cena fuori?
   Ogni compagno inizierà la risposta con: Non posso, devo...

Si va a mangiare fuori?
Si va al ristorante?
Si va in trattoria o in pizzeria?

Si spende poco?
Si mangia bene?
Si beve del buon vino?
Si può avere il conto?

a) Completa:

In Italia .... spesso a mangiar fuori.

Di solito .... un semplice pasto in trattoria o in pizzeria.

D'estate .... mangiare all'aperto, se c'è un pergolato.

In trattoria e in pizzeria .... in compagnia.

Durante il pasto .... vino sfuso o in bottiglia e .... del più e del meno.

Alla fine del pasto .... pagare il conto e .... dare la mancia al cameriere.

si sta
si parla
si può
si beve
si usa
si fa
si deve
si va

Si può (è permesso)		Non si può (è vietato)	
FUMARE 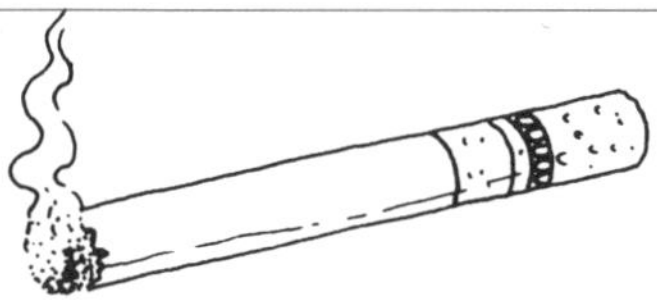		FUMARE 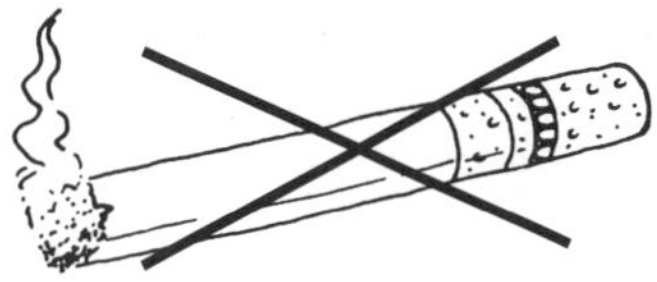	
ATTRAVERSARE 		FOTOGRAFARE 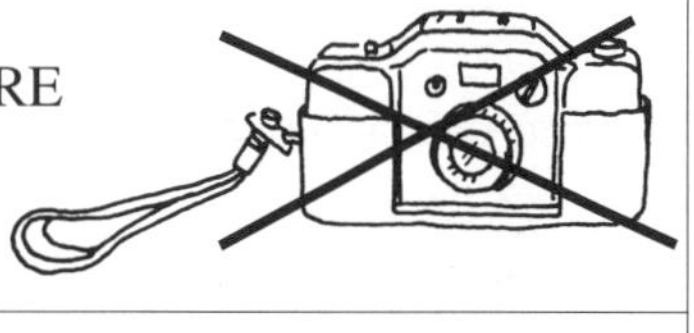	
ENTRARE 		CALPESTARE L'ERBA 	
BERE 		ENTRARE CON IL CANE 	
INTRODURRE VETRO 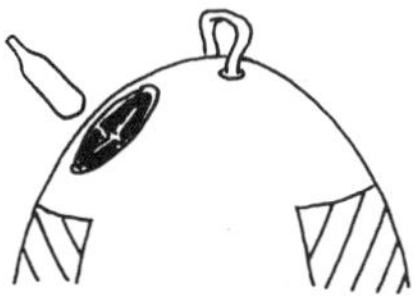		PESCARE 	

ECCO UNA SEMPLICE RICETTA ITALIANA

Spaghetti al pomodoro e basilico ....

Ingredienti per il sugo:
(5 persone)

– mezza cipolla o più (a piacere)

– mezzo chilo circa di passata di pomodoro

– sale e olio

– mezzo chilo di spaghetti

– una manciata di sale grosso

Esecuzione

1. Tagliare la cipolla a pezzettini.

2. Soffriggere nell'olio fino a quando la cipolla comincia a indorarsi.

3. Buttare la passata di pomodoro, salare e far cuocere per almeno 20 minuti.

4. Far cuocere gli spaghetti in abbondante acqua salata e scolarli al dente.

5. Condirli con il sugo, il basilico e il formaggio grattugiato.

a) Scrivi tu una semplice ricetta di un piatto del tuo paese, o di un piatto italiano che conosci.

Ingredienti	*Esecuzione*
....	1. ....
....	....
....	....
....	....
....	....
....	....

+ Mi piace...   – Non mi piace…
+ Mi piacciono...   – Non mi piacciono...

6

	Mangiare	**Bere**
	Cibi	Bevande
+ mi piace	il pollo	....
– non mi piace	il maiale	....

a) Scrivi nella tabella i nomi dei cibi e delle bevande che ti piacciono e quelli che non ti piacciono e poi esprimi i tuoi gusti, come nell'esempio:

Mi piace il pollo, non mi piace il maiale.

b) Esprimi le tue preferenze.
Esempio: Mi piacciono gli spaghetti, ma preferisco le tagliatelle.

c) Chiedi ai compagni: che cosa ti piace?
che cosa non ti piace?

6

SPECIALITÀ REGIONALI:
la pasta regina della tavola

agnolotti

in Piemonte

trofie al pesto

in Liguria

tagliatelle alla bolognese

in Emilia - Romagna

bucatini alla romana

nel Lazio

maccheroni alla napoletana

in Campania

orecchiette

in Puglia

I PASTI DEGLI ITALIANI:
colazione, pranzo, cena

Al mattino si fa colazione con caffè, latte, tè e biscotti. Chi va al bar prende un cappuccino con una brioche. A pranzo si mangia: pasta, carne o pesce, un contorno di verdura, frutta o dolce. Chi lavora e non può tornare a casa, fa uno spuntino al bar. Di solito la cena è un pasto leggero, con minestra, formaggio e salumi. I bambini fanno anche la merenda con un dolcetto, un frutto o uno yogurt.

colazione   pranzo   cena

GLI ITALIANI E I NUOVI GUSTI

Molti italiani amano la cucina tradizionale, come la pizza e i piatti della cucina regionale, ma in questi ultimi anni frequentano anche i ristoranti stranieri, dove possono gustare sapori nuovi e piatti esotici. Nelle grandi città, ma ora anche in provincia, ci sono ristoranti dove si mangiano specialità cinesi o giapponesi, piatti arabi, indiani, africani, o spiedini brasiliani. Ai ragazzi invece piacciono i fast-food, dove si beve Coca-Cola e si mangia all'americana: hamburger e patatine.

Presente indicativo dei VERBI MODALI

devo	posso	voglio
devi	puoi	vuoi
deve	può	vuole
dobbiamo	possiamo	vogliamo
dovete	potete	volete
devono	possono	vogliono

Presente indicativo del verbo irregolare DARE

do
dai
dà
diamo
date
danno

"SI" impersonale

si	va	si	mangia
si	sta	si	beve
si	parla	si	gusta
si	vuole	si	spende
si	può	si	si paga
si	deve	si	ordina (da mangiare, da bere, ...)

Che bel vestito! Posso provarlo?

1 SALDI DI FINE STAGIONE

Una signora entra in un negozio di abbigliamento.

COMMESSA	Buon giorno signora, desidera?
SIGNORA	Posso vedere quella giacca bianca esposta in vetrina?
COMMESSA	Che taglia ha?
SIGNORA	La 44.
COMMESSA	Adesso guardo... Signora, è fortunata: è proprio la sua taglia.
SIGNORA	Vediamo... Di che stoffa è?
COMMESSA	Di lino: pratico ed elegante.
SIGNORA	Mi piace molto. Posso provarla?
COMMESSA	Certamente, si accomodi in camerino.

(Dopo la prova)

SIGNORA	Questa giacca mi va benissimo e questo modello mi sta bene.
COMMESSA	Veramente, le va a pennello.
SIGNORA	Quanto costa?
COMMESSA	Con lo sconto del 50%, paga solo 190.000 lire. Un vero affare!
SIGNORA	Va bene, la compero. Posso pagare con un assegno?
COMMESSA	Senz'altro. Alla cassa prego.

a) Rispondi alle domande.

1. Che cosa compra la signora?
2. Che taglia ha?
3. Di che colore e di quale stoffa è la giacca?
4. Perché la signora è contenta dell'acquisto?
5. Quanto spende?
6. Paga in contanti?

a) Abbina il nome degli indumenti e degli accessori alle immagini, come negli esempi.

1. giacca
2. camicia
3. cravatta
4. camicetta
5. gonna

6. vestito (abito)
7. pantaloni
8. maglione
9. giubbotto
10. maglietta

11. impermeabile
12. ombrello
13. cappotto
14. cappello
15. calzini

16. pigiama
17. cintura
18. scarpe
19. zainetto
20. stivali

b) Continua l'esercizio con gli altri oggetti rappresentati, come negli esempi.

Questo maglione mi piace!

Questi pantaloni mi piacciono!

questo	giubotto	
	abito	mi piace!
questa	camicia	

questi	maglioni	
	stivali	mi piacciono!
queste	scarpe	

c) Entri in un negozio e vuoi vedere indumenti e accessori esposti in vetrina. Come li chiedi?
Esempio: Posso vedere **quel** giubbotto in vetrina?

quel	(il)	vestito
quello	(lo)	zainetto
quell'	(l')	impermeabile
quella	(la)	gonna

quei	(i)	pantaloni
quegli	(gli)	stivali
		abiti
quelle	(le)	camicie

3 DI CHE COLORE? DI QUALE STOFFA?

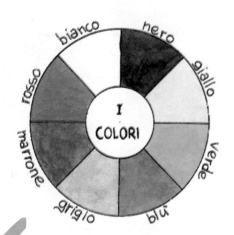

cotone

lino

Come? di seta

velluto

lana

il maglione	rosso	i maglioni	rossi
la gonna	rossa	le gonne	rosse
il cappotto	marrone	i cappotti	marroni
la maglietta	verde	le magliette	verdi

Attenzione!

il vestito	bianco	i vestiti	bianchi	i pantaloni, il vestito	**blu**
la giacca	bianca	le giacche	bianche	la gonna, le scarpe	

Di quale taglia?   (tabella generale per gli indumenti degli adulti, uomini e donne)

uomo	44		46	48		50	52		54	56	
donna	40		42	44		46	48		50	52	54
	piccola			media			grande			molto grande	

a) Sei in un negozio di abbigliamento. Il tuo compagno di corso fa il commesso.
Chiedi l'indumento che vuoi comprare, precisando la stoffa, il colore e la taglia, come negli esempi. Poi scambiate i ruoli.

COMMESSO   Desidera?
CLIENTE   Vorrei un paio di pantaloni di velluto, color marrone, taglia 48
e una camicia bianca, di cotone, taglia media.

Che **bel** maglione!	Che **bella** gonna!
Che **bei** pantaloni! Che **bell'**abito!	Che **belle** camicie!
Che **bello** zainetto!	Che **begli** stivali!

b) Vuoi provare degli indumenti che ti piacciono. Come li chiedi?
Continua come negli esempi.

Che bel vestito!
Posso provar**lo**?

Che bella gonna!
Posso provar**la**?

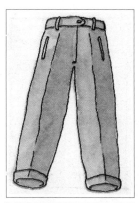

Che bei pantaloni!
Posso provar**li**?

Che belle camicie!
Posso provar**le**?

4 VORREI UN PAIO DI SCARPE.

1. mocassini
2. scarpe con le stringhe
3. scarpe da ginnastica
4. scarpe eleganti
5. scarpe da donna con tacco alto
6. scarpe da donna con tacco basso
7. "ballerine"
8. scarpe da donna piatte e con le stringhe

Un signore entra in un negozio di scarpe.

SIGNORE   Vorrei un paio di scarpe.
COMMESSA   Ha visto qualcosa in vetrina?
SIGNORE   Sì, quei mocassini di pelle marrone.
COMMESSA   Che numero porta?
SIGNORE   Il 42.

(La commessa va a prendere le scarpe)

SIGNORE   Mi vanno proprio bene. Quanto costano?
COMMESSA   150.000 lire.
SIGNORE   Mmm ... Sono care! Niente sconto?
COMMESSA   Mi spiace, i prezzi sono fissi...
SIGNORE   Va bene, le prendo lo stesso.

Numeri di scarpe per gli adulti:

dal 35 al 45

a) Anche tu vai a comperare un paio di scarpe. Il compagno fa il commesso. Chiedi le scarpe raffigurate, precisando il tipo, il colore, il numero. Poi scambiate i ruoli.

5 CLASSICO - ELEGANTE O SPORTIVO - CASUAL?

Carlo Macchi - cappotto di lana blu, completo grigio scuro, camicia bianca, cravatta di seta, mocassini neri.

Giulio Rubini - giubbotto di jeans, maglietta colorata, jeans, scarpe da ginnastica.

Irene Pavesi - tailleur gessato, camicetta di seta bianca, scarpe nere con tacco alto.

a) Osserva le persone rappresentate e descrivi il loro abbigliamento.

1. Carlo Macchi veste in modo elegante. Indossa un ....

.... , un completo .... e una ....

.... Porta una .... di seta. Calza dei .... neri.

2. Giulio Rubini veste in modo sportivo. Indossa ....

3. Irene Pavesi ....

b) A te come piace vestirti? Quale abbigliamento preferisci? Prova a rispondere.

Mi piace vestirmi in modo ....

Di solito indosso ....

Mi piacciono le scarpe ....

c) Chiedi ai tuoi compagni quale abbigliamento preferiscono.

d) Come sei vestito oggi? Descrivi il tuo abbigliamento.

6 COME SONO VESTITI?

| Tommaso | Marta | Silvia | Iacopo | Simone | Nadia | Stefano |

a) Ascolta la registrazione e indica il nome dei due giovani di cui viene descritto l'abbigliamento.

....

b) Osserva l'illustrazione e descrivi l'abbigliamento degli altri giovani.

....

....

c) Descrivete a turno l'abbigliamento di uno studente della classe; i compagni devono indovinare chi è.

....

....

7 Questo o quello?

a) Completa.

Guarda in vetrina ..... *quel* ..... maglione. Ti piace? No, io preferisco .... felpa colorata
e .... pantaloni di velluto. A me invece piacciono .... camicie sportive .
Belli anche .... stivali nell'angolo! Entro a comprarli! Signorina, ... pantaloni mi vanno benissimo! Li compro!
Signorina .... maglione mi piace. Posso provarlo?
Ti piace .... vestito? Sì, ma preferisco .... abito che c'è in vetrina.
Ma tu dove hai preso .... bella giacca e .... scarpe nuove? In .... bou-
tique nuova in fondo a via del Corso e le scarpe in .... magazzino all'ingrosso che c'è
in piazza Diaz.

b) Trasforma al plurale.

	questo vestito bianco.	....
	questa camicia bianca.	....
Mi piace	quel maglione verde.	**Mi piacciono** ....
	quella gonna blu.	....

c) Completa come nell'esempio.

	il	vestito?	Sì, **lo** compero.
	.....	cravatta?	Sì, ... compero.
	.....	pantaloni?	No, non ..... compero.
Il signore compera	.....	camicie?	Sì, ... compero.
	.....	cappotto?	È caro, non ..... compero.
	.....	stivali?	Costano troppo, non ..... compero.

Attenzione: Provo **gli** stivali e **li** compero.

c) Continua come nell'esempio:
(a me, camicia) – Mi piace questa camicia e la compero.

1. (a te), maglione.
2. (a lui), sciarpa.
3. (a lei), cappotto.
4. (a voi), maglietta.
5. (a noi), maglione.
6. (a loro), giubbotto.

8

	costa			costano	
Quanto		questa giacca?	Quanto		questi occhiali?
	viene			vengono	

a) Completa.

1. .... questa giacca? Non costa molto.
2. .... questi calzini? .... poco.
3. .... quest_ giubbotto? È caro, ... troppo.
4. .... quest_ scarpe? .... molto, sono car_.
5. Quanto vien_ quest_ gonna? .... troppo per me.

b) Osserva le illustrazioni e fai l'elenco degli indumenti da portare in tintoria:

un paio
di occhiali

due paia
di occhiali

....
....
....
....
....
....
....
....
....
....
....
....
....
....

Attenzione! Un **paio** di... Due **paia** di...

a) Completa i dialoghi.

In un negozio di abbigliamento.

COMMESSA   Buona sera, che cosa ....?

CLIENTE   Un .... di ....
di lana.

COMMESSA   .... li vuole?

CLIENTE   Grigi.

COMMESSA   ....

CLIENTE   La 50.

COMMESSA   Ecco a lei, si accomodi in camerino.

CLIENTE   Mi vanno bene. .... ?

COMMESSA   120.000 lire.

CLIENTE   .... con un assegno?

COMMESSA   ....

In un negozio di scarpe.

CLIENTE   Buongiorno, vorrei ....

COMMESSA   Ha già visto qualcosa in vetrina?

CLIENTE   Sì, ...

COMMESSA   Che numero porta? ....

CLIENTE   Il .... Posso .... ?

COMMESSA   Certamente. Come le vanno?

CLIENTE   ....
....
....
....

COMMESSA   230.000 lire ....

CLIENTE   Troppo care! Non ....

10 PARTI PER IL MARE.

a) Scrivi un elenco di indumenti e di cose che ti possono servire.

1 un pigiama di cotone a righe
2
3
4
5
6
7
8

ricordarsi gli ☐ da sole!

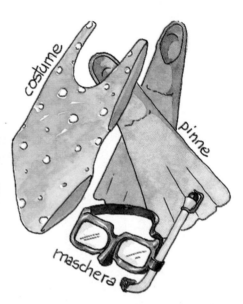

costume

pinne

maschera

11 PARTI PER LA MONTAGNA.

a) Scrivi un altro elenco di indumenti e di cose che ti possono servire.

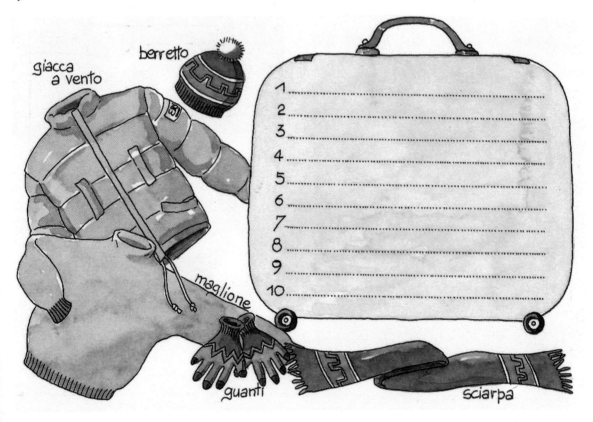

giacca a vento

berretto

maglione

guanti

sciarpa

1
2
3
4
5
6
7
8
9
10

7

In Italia saldi, svendite, offerte speciali, vendite promozionali e liquidazioni ci sono ormai quasi tutto l'anno. Sono le occasioni per fare acquisti a prezzi scontati. I saldi di fine stagione sono a luglio e agosto per la stagione estiva, a gennaio e febbraio per la stagione invernale. Gli sconti partono dal 10% e arrivano fino al 50 – 60%.

LE VIE DEGLI ACQUISTI:
SHOPPING DI LUSSO E POPOLARE

Via Della Spiga e la vicina via Montenapoleone sono due strade di Milano famose per lo shopping di lusso. Qui espongono le grandi firme della moda, note in tutto il mondo.
Certo i prezzi sono altissimi, ma clienti italiani e stranieri acquistano capi firmati e splendidi gioielli, senza badare a spese.

Via Della Spiga.

Via Montenapoleone.

Via del Corso a Roma è un'altra via famosa per gli acquisti, una via per lo shopping giovane. La merce è alla portata delle tasche di tutti, perché i prezzi sono convenienti.

I grandi magazzini, diffusi in tutta Italia, vendono anche merce poco costosa.

Via del Corso.

«Anche al mercato i prezzi sono bassi».

AGGETTIVI

piccol**o, a**   medi**o, a**   grand**e**   molto grand**e**

Singolare   *Plurale*
(come azzurr**o**, giall**o**, ner**o**, ecc.)

rosso, **a**   rossi, **e**
verd**e**   verd**i**
bianco, **a**   bian**chi**, bian**che**

dimostrativi

QUESTO	*maschile*	*femminile*
singolare	questo	questa
plurale	questi	queste

QUELLO	*maschile*	*femminile*
singolare	quel / quello / quell'	quella / quell'
plurale	quei	quelle

indicativi

BELLO	*maschile*	*femminile*
singolare	bel / bello / bell'	bella / bell'
plurale	bei / begli	belle

Un **paio** di   occhiali   due, tre **paia** di   occhiali
                 pantaloni   pantaloni

PRONOMI diretti

Singolare			*Plurale*		
(vestito)	lo		(pantaloni)	li	
		prendo			prendo
(camicia)	la		(scarpe)	le	

La giornata di...

Paolo, studente.

Di solito mi alzo alle 8, faccio colazione, mi preparo in fretta e vado all'università in moto.
Al mattino seguo le lezioni e nel pomeriggio studio o mi trovo con gli amici.
Ceno abitualmente con i miei genitori.
La sera esco spesso: vado qualche volta al cinema, in pizzeria, o in discoteca.
Mi addormento sempre dopo mezzanotte.

Sua madre, insegnante.

Si sveglia presto, fa colazione, riordina un po' la casa e si prepara per uscire.
Va a scuola in autobus e insegna dalle 8.30 alle 12.40.
Torna a casa, cucina e pranza con Paolo. Al pomeriggio va a fare la spesa o corregge i compiti dei suoi allievi.
Di sera guarda sempre la televisione, non esce quasi mai.
Solo al sabato si incontra con gli amici.

Suo padre, impiegato.

Ogni giorno si alza alle 7.30.
Si prepara, si veste, fa colazione, esce in fretta e prende il giornale all'edicola sotto casa.
Va in ufficio in macchina; all'una fa uno spuntino in uno snack-bar vicino all'ufficio.
Comincia il suo lavoro alle 9 e finisce alle 18.
Alla sera legge il giornale o guarda la televisione.
Si addormenta dopo l'ultimo telegiornale.
Al sabato si diverte a giocare a carte con gli amici e va a letto tardi.

Sempre	**Spesso**	**Qualche volta**	**Quasi mai**	**Mai**

✓   **ogni giorno**   **di solito**   **abitualmente**

a) Numera in ordine cronologico le vignette:

Paolo

Verso le nove va all'università.

Spesso la sera si diverte con gli amici.

Al pomeriggio studia o si trova con i compagni.

Di solito si alza alle otto.

La madre di Paolo

Dopo cena guarda la televisione, non esce quasi mai.

Al mattino insegna in una scuola media.

Si sveglia presto e si prepara.

Al pomeriggio corregge i compiti o fa la spesa.

Il padre di Paolo

Cena con i suoi familiari.

Si addormenta dopo l'ultimo telegiornale.

Fa colazione, esce e prende il giornale.

Durante la giornata lavora in ufficio.

a) Abbina il personaggio ai mezzi di trasporto.

.... va a scuola in autobus.

.... va all'università in moto.

.... va in ufficio in macchina.

2 CHE COSA FANNO DURANTE LA GIORNATA? DOVE LAVORANO?

a) Continua come nell'esempio.

per la strada

Il vigile dirige e controlla il traffico. Dà le multe.
Lavora per la strada.

in ospedale

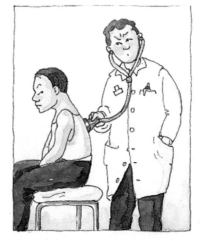

Il medico ....
....
....

in casa

La casalinga ....
....
....

nel suo studio

La scrittrice ....
....
....

in officina

Il meccanico ....
....
....

in negozio

Il negoziante ....
....
....

(curare i malati - riordinare la casa, cucinare - scrivere libri - riparare le macchine - vendere la merce)

3 CHE COSA FA SAID AL MATTINO?

Si sveglia
alle 8 meno un quarto.

I CONIUGAZIONE
SVEGLIARSI
mi sveglio
ti svegli
si sveglia
ci svegliamo
vi svegliate
si svegliano

Si alza alle 8.

Si lava.
Si pettina.

II CONIUGAZIONE
RADERSI
mi rado
ti radi
si rade
ci radiamo
vi radete
si radono

Si rade.

III CONIUGAZIONE
VESTIRSI
mi vesto
ti vesti
si veste
ci vestiamo
vi vestite
si vestono

Si veste e fa colazione.

a) Trasforma alla seconda persona singolare e alla seconda persona plurale:
Ti svegli alle 8 ... Vi svegliate alle 8 ...

b) E tu che cosa fai di solito al mattino?

4 CHE ORA È? CHE ORE SONO?

| Sono le otto. | Sono le dieci e venti. | È mezzogiorno. | È l'una meno cinque. | Manca un quarto alle due. |

| Sono le cinque e mezzo (mezza). | Sono le sei meno un quarto. | Sono le sette e tre quarti. | È mezzanotte. | È mezzanotte e mezzo (a). |

a) Che ore indicano gli orologi?

Dopo mezzanotte   **Dopo mezzogiorno**

 `6 0 5` sono le sei e cinque   `1 4 1 5` sono le quattordici e

Tu - Voi

• Sai che ore sono?

• Sapete che ora è?

Lei - Loro

• Mi scusi, sa che ora è?

• Mi scusino, sanno che ore sono?

5

a) Ricostruisci la giornata dei seguenti personaggi:

I signori Vitali sono due negozianti di frutta e verdura.

.... alle 7 e trenta e

aprono il negozio .... 9.

Lavorano fino .... 12 e trenta e pranza-

no insieme .... casa .... una.

Nel pomeriggio stanno ....negozio 15

.... 19 e trenta.

Cenano ....8 e la sera stanno ....

casa .... guardare ....

A mezzanotte si addormentano.

I signori Vitali

La signora Golino è avvocato.

.... alle otto.

La mattina lavora .... suo studio o ....

...................tribunale .... 9 .... una.

Pranza ....trattoria .... una e trenta.

Al pomeriggio ....

....

La sera ....

....

A mezzanotte e mezzo ....

La signora Golino

b) Trasforma alla prima persona plurale: Siamo due negozianti...

c) Trasforma alla terza persona plurale: Il signore e la signora Golino sono avvocati...

6 A CHE ORA CI VEDIAMO?

A che ora ci troviamo e dove?

– alle 8, sotto casa mia.

– a mezzogiorno, davanti al bar.

– all'una, all'ingresso della scuola.

– a mezzanotte, all'uscita del cinema

a) Forma delle frasi.

Esempio: Ci vediamo al bar Florian.

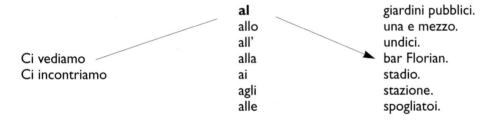

	al	giardini pubblici.
	allo	una e mezzo.
	all'	undici.
Ci vediamo	alla	bar Florian.
Ci incontriamo	ai	stadio.
	agli	stazione.
	alle	spogliatoi.

b) Forma delle frasi.

Esempio: L'appuntamento è all'entrata della scuola.

	all'entrata	del	scuola.
	all'uscita	dello	nostri amici.
	all'ingresso	dell'	Gallerie Vaticane.
L'appuntamento è	al corso	**della**	angolo.
	alla fine	dei	spettacolo.
	al bar	degli	cinema.
	alla festa	delle	studenti stranieri.

c) Forma delle frasi.

Esempio: Vengo con il tram.

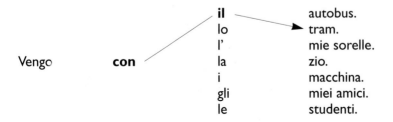

		il	autobus.
		lo	tram.
		l'	mie sorelle.
Vengo	**con**	la	zio.
		i	macchina.
		gli	miei amici.
		le	studenti.

7

a) Completa.

b) Collega le frasi:

1. Dai sbrigati, è tardi.   – Mi preparo di corsa.
2. Siamo in perfetto orario.   – Sì, siamo in anticipo.
3. È presto!   – Hai ragione, sono in ritardo.
4. Su, su, in fretta!   – Puntuali come sempre.

c) Forma delle frasi.
   Esempio: Lavoro dal mattino al pomeriggio.

d) Completa con le preposizioni semplici e articolate.

1. Ti aspetto .... nove .... ingresso .... supermercato.

2. Ci troviamo davanti .... cinema .... otto .... Fatima.

3. Appuntamento ....mezzanotte .... uscita .... cinema.

4. Ci vediamo .... pizzeria .... Min Li .... nove.

5. Ci troviamo ....mezzogiorno .... ingresso .... bar Nilo.

6. Appuntamento ....sig. Rossi ....ristorante .... 8.30.

7. Ci vediamo .... casa mia .... dieci, poi andiamo in discoteca.

8. Appuntamento .... Bianchi .... stazione .... dieci.

9. Ti aspetto da un'ora, esattamente .... otto .... nove.

10. Lavoro ....mattina ....sera, sono stanco morto!

8 CHE COSA FAI DURANTE LA SETTIMANA!

a) Completa la tabella a piacere e poi racconta quello che fai come nell'esempio.

	alzarsi presto	lavorare	frequentare un corso	cenare in casa	uscire a cena	guardare la TV	andare al cinema	alzarsi tardi	riposarsi	vedere gli amici
Lunedì	X	X	X	X		X				
Martedì										
Mercoledì										
Giovedì										
Venerdì										
Sabato										
Domenica										

Es.: Il lunedì mi alzo presto, lavoro tutto il giorno, frequento un corso di italiano dalle sei alle sette di sera, ceno in casa e guardo la televisione.

b) Ascolta la registrazione e completa.

salutarsi   telefonarsi   trovarsi   mettersi la tuta   divertirsi   riposarsi

Io (chiamarsi) ....*mi chiamo*............ Gianni e mia moglie .... Laura.

Marco e Matteo sono i nostri figli. Io e mia moglie lavoriamo.

Il mattino (alzarsi) .... prima io, (lavarsi) ....

(pettinarsi) ....e preparo la colazione. Poi (svegliarsi) ....mia

moglie. Facciamo colazione insieme e poi (salutarsi) ....

Intanto arriva mia madre e (occuparsi) .... dei miei figli.

Durante la giornata io e mia moglie (telefonarsi) .... e la sera

(ritrovarsi) .... a casa.

I miei figli (addormentarsi) .... subito dopo cena.

La domenica (trovarsi) .... con i nostri amici e andiamo tutti in campagna.

Io (mettersi) .... una tuta e (divertirsi) .... a gioca-

re al pallone con i bambini. Mia moglie (riposarsi) ....

9 CHE COSA FA SABATO IL SIGNOR... ?

| andare in palestra |
| dal parrucchiere |
| a pranzo con Anna |
| far lavare la macchina |
| giocare a tennis |
| andare a teatro |

a) Scrivi come il signor Pasotti trascorre il sabato.

Esempio: Sabato alle 10 il signor Pasotti va ....

....

....

....

b) E tu, come trascorri una giornata di riposo o la domenica?

c) Scrivi quali attività fai sempre, spesso o qualche volta; poi quelle che non fai mai o quasi mai.

Esempio: Leggo sempre il giornale.   Vado spesso al cinema.

....

....

....

| Attenzione! | **Non** vado | **mai** | al concerto. |
| | **Non** vado quasi | **mai** | al ristorante. |

Per l'Istat è aumentato il tempo libero ma resta scarso il tempo dedicato alla lettura, allo sport e all'impegno sociale Il video, invece, ci "cattura" sempre di più

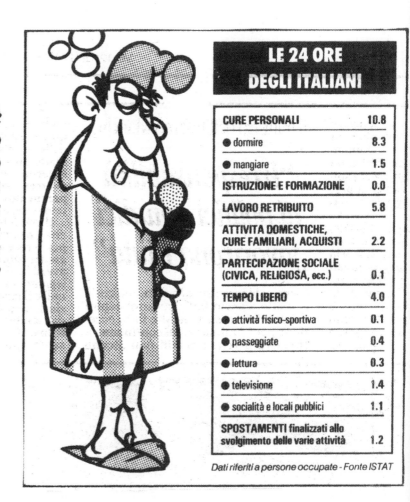

LE 24 ORE DEGLI ITALIANI

CURE PERSONALI	**10.8**
● dormire	8.3
● mangiare	1.5
ISTRUZIONE E FORMAZIONE	**0.0**
LAVORO RETRIBUITO	**5.8**
ATTIVITA DOMESTICHE, CURE FAMILIARI, ACQUISTI	**2.2**
PARTECIPAZIONE SOCIALE (CIVICA, RELIGIOSA, ecc.)	**0.1**
TEMPO LIBERO	**4.0**
● attività fisico-sportiva	0.1
● passeggiate	0.4
● lettura	0.3
● televisione	1.4
● socialità e locali pubblici	1.1
SPOSTAMENTI finalizzati allo svolgimento delle varie attività	**1.2**

Dati riferiti a persone occupate - Fonte ISTAT

Ecco il «diario» di 14.000 famiglie italiane, come risulta da una ricerca Istat.

Gli italiani stanno davanti alla televisione per circa un'ora e mezzo tutti i giorni. Fanno poco sport e poche passeggiate.

Occupano metà giornata per il sonno, e per i pasti.

Più di sette ore sono divise fra scuola, lavoro e attività domestiche; circa quattro ore sono dedicate al tempo libero.

Gli italiani leggono poco, anche se stanno molto in casa.

Preferiscono guardare la TV.

Spendono più di un'ora al giorno per gli spostamenti, che fanno spesso in macchina nel caos del traffico.

Lavoriamo meno e la cura della casa è sempre della donna

Il diario degli italiani ora per ora viviamo così

Pantofolai "stregati" dalla tivù

Così scorrono le nostre giornate

Nella tabella vengono illustrate le attività degli italiani in una giornata-tipo. Secondo l'Istat, non viene dedicata nessuna attenzione alle attività di istruzione e formazione. Quattro le ore dedicate al tempo libero, meno di sei al lavoro.

Dalla ricerca risulta che le donne si occupano della casa e badano ai figli più degli uomini, anche quando hanno un lavoro fuori.

VERBI RIFLESSIVI

Lavarsi		Radersi		Lavarsi	
mi	lavo	mi	rado	mi	vesto
ti	lavi	ti	radi	ti	vesti
si	lava	si	rade	si	veste
ci	laviamo	ci	radiamo	ci	vestiamo
vi	lavate	vi	radete	vi	vestite
si	lavano	si	radono	si	vestono

AVVERBI DI TEMPO

sempre	
spesso	quasi mai
qualche volta	mai
di solito,	abitualmente
ogni giorno,	tutti i giorni

Collocazione nella frase:

Prima del verbo:
di solito, abitualmente

Di solito mi alzo presto.
Abitualmente vado a casa in autobus.

Prima e dopo il verbo:
ogni giorno, tutti i giorni

Ogni giorno vado a lavorare.
Vado a lavorare **tutti i giorni**.

Subito dopo il verbo:
sempre, spesso, quasi mai, mai

Leggo **sempre** il giornale.
Vado **spesso** al cinema.
Non vado **(quasi) mai** al concerto.

PREPOSIZIONI ARTICOLATE

	il	lo	l'	la	i	gli	le
a	al	allo	all'	alla	ai	agli	alle
di	del	dello	dell'	della	dei	degli	delle
da	dal	dallo	dall'	dalla	dai	dagli	dalle
con	con il	con lo	con l'	con la	con i	con gli	con le

Che tipo è Paolo?

1 CHI CONOSCI A QUESTA FESTA?

MICHELA	Ciao Giovanni, anche tu qui?
GIOVANNI	Ciao Michela, sono contento di incontrarti. Chi conosci a questa festa?
MICHELA	Conosco il padrone di casa, Marco, e due ragazze: Luisa e Sara.
	Il padrone di casa è il signore calvo, con i baffi, vicino alla porta.
	Marco è quello con il maglione a righe e i capelli lunghi.
	Luisa è la ragazza bionda, con i capelli lunghi, seduta sul divano.
	Sara è quella con gli occhiali e i capelli corti e ricci.
	E tu, chi conosci?
GIOVANNI	Conosco solo la padrona di casa e Luca.
	La padrona di casa è la signora con gli occhiali e i capelli grigi.
	Luca è quello alto e robusto, in piedi, con il bicchiere in mano.
	A proposito, vuoi qualcosa da bere?
MICHELA	Grazie, prendo volentieri un aperitivo analcolico.

a) Abbina le descrizioni delle persone ai disegni, come nell'esempio.

1. Il padrone di casa è il signore calvo, con i baffi.

2. Marco è quello con il maglione a righe e i capelli lunghi.

3. Luisa è la ragazza bionda, con i capelli lunghi.

4. Sara è quella con gli occhiali e i capelli corti e ricci.

5. La padrona di casa è la signora con gli occhiali e i capelli grigi.

6. Luca è quello alto e robusto.

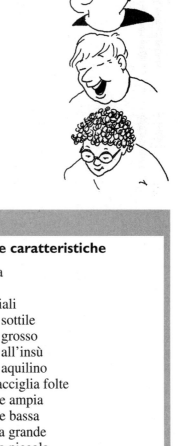

LE CARATTERISTICHE FISICHE

Capelli	**Occhi**	**Fisico**	**Altre caratteristiche**
ricci	scuri	alto	barba
lisci	chiari	basso	baffi
biondi	marroni	magro	occhiali
bruni	verdi	grasso	naso sottile
castani	azzurri	robusto	naso grosso
grigi	grigi	atletico	naso all'insù
bianchi	grandi	…	naso aquilino
scuri	allungati		sopracciglia folte
neri	piccoli		fronte ampia
rossi	a mandorla		fronte bassa
lunghi	…		bocca grande
corti			bocca piccola
senza capelli (calvo)			…

b) Descrivi il tuo aspetto fisico utilizzando le parole e i modi di dire presentati.
   Esempio: Ho gli occhi .... , i capelli ....

c) Descrivi l'aspetto fisico di un compagno o di un amico.

2 FOTO DI GRUPPO

a) Ecco i colleghi d'ufficio di Marco. Abbina le descrizioni alle persone rappresentate.

LUCA

1. Luca è quello con i capelli lisci e biondi e la barba.
2. Marco è quello anziano, con gli occhiali e i capelli grigi.
3. Anche Luigi ha gli occhiali, è quello grasso con i capelli biondi.
4 Tomas è quello con i capelli neri, lunghi e i baffi.

b) I miei compagni di classe. Abbina le descrizioni alle persone rappresentate.

ANTONIO

1. Antonio è quello con il codino e gli occhiali.
2. Said è quello robusto con i capelli ricci e corti.
3. Paolo è quello biondo, ha i capelli lisci e corti e i baffi.
4. Marta è quella magra e bassa, con i capelli corti e il vestito a righe.
5. Fatima è quella alta, con i capelli neri, lunghi e ricci.
6. Paola è quella un po' grassa, con gli occhiali.

c) Questi sono i tuoi vicini di casa. Descrivili.

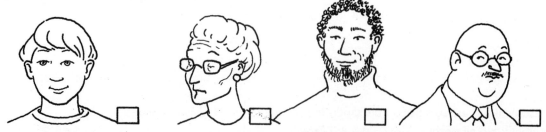

1	grasso, calvo, baffi, occhiali	2	giovane, capelli biondi, occhi chiari
3	anziana, capelli grigi, occhiali, magra	4	barba, capelli ricci e scuri, alto, magro

Conosci Paolo?	Quello biondo, magro, con la barba e gli occhiali?
Conosci Carla?	Quella alta, robusta, con i capelli lunghi?

a) Descrivi le persone, come nell'esempio.

Li Li (magra, alta, capelli lunghi e lisci) –
Conosci Li Li? Quella magra, alta con i capelli lunghi e lisci?

1. Leila (magra, bassa, capelli scuri e ricci, occhi verdi).
2. Carlos (robusto, giovane, capelli e occhi scuri).
3. Massimo (anziano, calvo, occhiali, barba).
4. Pap (alto, magro, capelli neri e ricci, barba).
5. Maria (grassa, capelli biondi, occhi azzurri).

b) Ascolta le descrizioni delle persone e poi indica il disegno adatto.

c) Completa le frasi seguendo l'esempio:

Maria è quella **con la** coda e le lentiggini.

1. Cinzia è quella .... capelli rossi.

2. Luca è quello .... ciuffo sulla fronte.

3. Marco è quello .... zaino verde e la bici.

4. Sara è quella .... orecchini grandi.

5. Li Ping è quello .... impermeabile grigio.

6. Mohamed è quello .... barba.

7. I miei amici sono quelli .... macchina rossa.

8. Le mie amiche sono quelle .... giacche rosse.

9. Marta e Paolo sono quelli .... mano nella mano.

 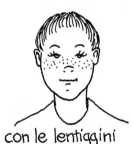  

con il ciuffo sulla fronte   con le lentiggini   con la coda   con la mano nella mano

4 I NOBEL PER LA PACE

a) Descrivi alcuni dei personaggi presentati.

1. Aung San Suu Kyi
   (Nobel 1991)
2. Dalai Lama
   (Nobel 1989)
3. Michail Gorbaciov
   (Nobel 1990)

4 Dag Hammarskjöld
   (Nobel 1961)
5. Martin Luther King
   (Nobel 1964)
6. Albert Schweitzer
   (Nobel 1953)

7. Teresa di Calcutta
   (Nobel 1979)
8. Desmond Tutu
   (Nobel 1984)
9. Rigoberta Menchù
   (Nobel 1992)

5 CHE COSA STA FACENDO GIOVANNI?
STA PARLANDO CON MICHELA

FRANCESCO   Che cosa stanno facendo i tuoi amici?

SOFIA   Giovanni sta parlando con Michela.

       Marco e Sara stanno ballando.

       Luca sta andando via e sta salutando la padrona di casa.

FRANCESCO   E tu, che cosa stai facendo?

SOFIA   Niente, mi sto annoiando.

sto	parl**ando**
stai	ball**ando**
sta	legg**endo**
stiamo	bev**endo**
state	sent**endo**
stanno	usc**endo**

parlare	parl**ando**
leggere	legg**endo**
sentire	sent**endo**

a) Che cosa stanno facendo? Abbina la frase al disegno.

1. Sta mangiando.
2. Stanno dormendo.
3. Stai telefonando.

4. State fumando.
5. Sta ridendo.
6. Stiamo piangendo.

7. Sto partendo.
8. Stanno cantando.

b) Fai le domande e le risposte, come nell'esempio.

(Paolo? guardare, TV) – Che cosa sta facendo Paolo? Sta guardando la TV.

1. Marta? sentire, musica.
2. Tu? (Io) preparare, tè.
3. Giovanni? leggere, rivista.
4. Sofia e Tomas? cucinare.
5. Voi? (Noi) preparare, tavola.
6. Simone? fumare, sigaro.
7. Marta e Carlos? ballare, tango.
8. Luisa? ridere.
9. Tomas? raccontare, barzellette.
10. Li Li? finire, lavoro.

Pronto, posso parlare con Carlos?

Mi spiace, non può venire al telefono. Si sta facendo il bagno.

c) Che cosa stanno facendo queste persone?

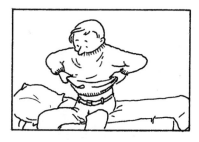

Mi sto vestendo

....

Tomas ....

....

Noi ....

....

Voi ....

....

Fatima ....

....

I bambini ....

....

6 CHE TIPO È... ?

SIGNOR ROSSI	Signora Berti, come sono i suoi nuovi vicini di casa?
SIGNORA BERTI	Mi sembrano due persone distinte, educate, gentili.

> Che tipo è?   Mi sembra simpatico.
> Che tipi sono?   Mi sembrano simpatici.

LUCIA	Ciao Manuela, allora, com'è Luca?
MANUELA	È bello, generoso..., mi piace proprio! Però mi sembra un po' timido.

MANUELA	Ciao, Lucia, com'è il tuo nuovo collega?
LUCIA	Un vero disastro. È nervoso, sempre arrabbiato. Mi sembra una persona aggressiva.

PAOLO	Allora, questa Anna com'è?
CRISTINA	È molto carina, sempre calma e tranquilla. Mi sembra dolcissima.

CARATTERISTICHE DELLE PERSONE

I contrari:

educato (a)	maleducato (a)
simpatico (a)	antipatico (a)
calmo (a)	nervoso (a)
tranquillo (a)	agitato (a)
dolce	aggressivo (a)
chiuso (a) timido (a)	aperto (a)
allegro (a)	triste
generoso (a)	egoista

a) Come ti sembrano le persone rappresentate? Continua come nell'esempio.

Com'è Carlos, secondo te? – Mi sembra simpatico.

| Carlos | Sara | Li Li | Said e Maria | I signori Rossi |

b) Dal singolare al plurale.

Mi sembra simpatico, gentile.
Mi sembrano simpatici, gentili.

1. educato, timido
2. sempre arrabbiato, maleducato
3. gentile, chiuso
4. intelligente, aggressiva
5. introverso, nervoso
6. dolce, simpatica
7. arrabbiata, preoccupata
8. tranquilla, aperta

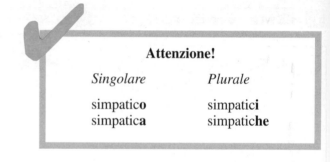

Attenzione!

Singolare	*Plurale*
simpatic**o**	simpatic**i**
simpatic**a**	simpatic**he**

7

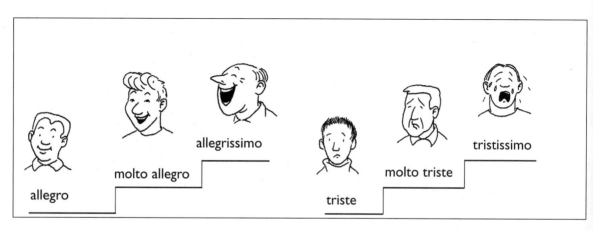

allegro · molto allegro · allegrissimo · triste · molto triste · tristissimo

a) Continua come negli esempi:

magro (M)	molto magro	magrissimo
bella (F)	molto bella	bellissima
intelligente (M/F)	molto intelligente	intelligentissimo (a)

bravo ( ) ....

gentile ( ) ....

timida ( ) ....

simpatico ( ) ....

elegante ( ) ....

timido ( ) ....

antipatico ( ) ....

giovane ( ) ....

brutto ( ) ....

aggressivo ( ) ....

felice ( ) ....

b) Descrivi l'aspetto fisico delle persone raffigurate e prova a immaginare che tipi sono.

1. È bella, elegante; ha i capelli neri e lunghi, gli occhi chiari.
   Mi sembra simpatica e aperta. Secondo me, è intelligente.

2. ....

3. ....

4. ....

5. ....

8

---

a) Prova a descrivere brevemente il tuo carattere.

b) Com'è, secondo te, il carattere di un tuo compagno di classe o di un tuo amico?

c) Scrivi cinque aggettivi riferiti a un uomo e cinque aggettivi riferiti a una donna.

Per me, l'uomo ideale deve essere:

....

....

....

....

....

....

....

Per me, la donna ideale deve essere:

....

....

....

....

....

....

....

d) Ora prova a cercare i contrari degli aggettivi che hai scritto.

La società TEMA FILM cerca con urgenza

- ragazzo 20/25 anni, alto, bruno, magro di bell'aspetto, estroverso □ 1

- signora 55/60, giovanile, elegante, comunicativa □ 2

- signore 65/70 distinto, alto, signorile, sportivo □ 3

- bambina 6/7 anni, bruna, con precedenti esperienze televisive □ 4

a) Indica tra i personaggi del disegno i possibili attori.

b) Ecco alcuni annunci matrimoniali tratti dalla rivista «Secondamano». Leggili e cerca sul vocabolario il significato delle parole che non conosci.
Poi prova a formare le possibili coppie (per esempio: 2 + A).

① **RAGAZZA** 22enne carina cerca 23-28enne diplomato per eventuale fidanzamento.

② **SIGNORA** 56enne simpatica giovanile benestante cerca signore distinto max 68enne benestante scopo matrimonio.

③ **ATTRAENTE** 45enne divorziata bella presenza colta cerca max 55enne serio libero.

④ **GIOVANE** polacca 28 anni con figlio conoscerebbe uomo serio benestante per compagnia.

⑤ **DONNA** 62enne vedova giovanile amante viaggi cerca compagno colto, onesto, amicizia o matrimonio.

Ⓐ **PENSIONATO** 60enne cerca compagna max 58enne scopo matrimonio non divorziata.

Ⓑ **UOMO** onesto serio 40enne benestante cerca compagna giovane carina.

Ⓒ **RAGAZZO** 27enne ragioniere serio cerca ragazza per fidanzamento.

Ⓓ **PROFESSIONISTA** 65enne colto benestante cerca compagna max stessa età giovanile per matrimonio.

Ⓔ **IMPIEGATO** 52 anni divorziato cerca donna carina max 48 anni per compagnia.

Gigi è **più alto** di Marco.

Marco è **meno alto** di Gigi.

Simone è **alto come** Sara.

Li Li è più alta di Marta.
Marta è meno alta di Li Li.
Marta è più bassa di Li Li.

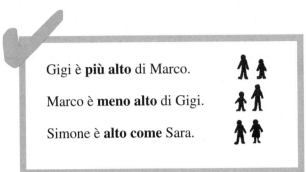

Maria è più magra di Carlo.
Carlo è più grasso di Maria.
Maria è meno grassa di Carlo.

Luca è alto come Marta.
Marta è alta come Luca.

Luisa è più giovane di Michela.
Michela è meno giovane di Luisa.
Michela è più anziana di Luisa.

Luigi è più anziano di Paolo.
Paolo è meno anziano di Luigi.
Paolo è più giovane di Luigi.

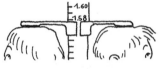

Marco è più simpatico di Giovanni
Giovanni è meno simpatico di Marco.

a) Completa con nomi di persone maschili o femminili.

.... è più simpatico di ....

.... è più alta di ....

.... è meno carina di ....

.... è magro come ....

.... è più giovane di ....

.... è meno anziana di ....

b) Serviti delle due tabelle per fare tutti i confronti possibili fra le tre persone.

	Maria	Carla	Li Li
età	27	27	25
altezza	1.60	1.72	1.63
peso	62	60	50

Li Li è più giovane di Maria.
Maria è più bassa di Carla e Li Li.

....

	Carlos	Karim	Luigi
età	28	35	42
altezza	1.70	1.75	1.68
peso	70	68	72

c) Completa la tabella con i tuoi dati e quelli di due compagni o familiari. Poi fai i confronti.

	Io		
età			
altezza			
peso			

d) Guarda le due tabelle dell'esercizio b) e poi prova a rispondere.

1. Chi è la ragazza più alta?

....

2. Chi è l'uomo più alto?

....

3. Chi è la ragazza più bassa?

....

4. Chi è l'uomo più basso?

....

5. Chi è la ragazza più magra?

....

6. Chi è l'uomo più magro?

....

Li Li è la più giovane.   Carlos è il più giovane.

25 anni 27 anni 27 anni   28 anni 35 anni 42 anni

Maria è la più grassa.   Luigi è il più grasso.

Kg. 62 Kg. 60 Kg. 50   Kg. 72 Kg. 70 Kg. 68

9

> **Attenzione!**
>
> il più bravo
> il più buono ➤ il migliore
> il più grande ➤ il maggiore
>
> il più cattivo ➤ il peggiore
> il più piccolo ➤ il minore

a) Leggi i testi e poi rispondi alle domande.

Mario, Luca e Paolo sono tre fratelli.
Mario ha nove anni; Luca ha dodici anni e Paolo ha quindici anni.
Chi è il maggiore dei tre?
Chi è il minore dei tre?
Mario è maggiore o minore di Paolo?

Tutti e tre vanno a scuola ma i loro voti sono diversi: Luca ha la media del sette; Mario ha quella del sei e Paolo ha otto in tutte le materie.
Chi è il migliore a scuola?
Chi è il peggiore dei tre?
È migliore Mario o Luca?

b) Abbina le espressioni che hanno lo stesso significato.

– molto bravo	il minore
– il più grande	bravissimo
– molto brutto	il più cattivo
– il più piccolo	stupendo
– tanto simpatico	il maggiore
– il peggiore	bruttissimo
– molto alto	stanchissimo
– il migliore	simpaticissimo
– stanco morto	altissimo
– bellissimo	il più bravo

c) Secondo te, chi è:

– l'attore più bravo?
– l'attrice più brava?
– il cantante più bravo?
– la cantante più brava?
– l'uomo più ricco del mondo?
– la donna più bella del mondo?
– l'uomo più famoso in Italia in questo momento? E nel tuo paese?

– lo scrittore più bravo del tuo paese?
– il regista più bravo?
– il libro più interessante?
– l'atleta che ti piace di più?
– il cibo migliore?
– il cibo peggiore?

9

L'Italia è una penisola lunga e stretta, circondata dal mare da tre lati (sud, est, ovest) e dalle montagne, a nord.

Per la sua strana forma allungata viene chiamata anche "lo stivale" e infatti assomiglia a uno stivale, più largo a nord e più stretto verso il sud, con la punta in Calabria e il tacco in Puglia.

È un paese molto montuoso; le montagne la attraversano da ovest a est (Alpi) e da nord a sud (Appennini). In Italia si trova il monte più alto d'Europa: il monte Bianco.

Due sono le isole principali italiane: la Sicilia e la Sardegna, ma numerose sono le isole minori (Elba, Capri, Lipari, Giglio, ...).

L'Italia è suddivisa in venti regioni.

Gli italiani hanno caratteristiche fisiche abbastanza diverse fra loro e sono il frutto dell'incrocio tra i popoli e i gruppi diversi che qui hanno abitato.

Alcuni dati dei censimenti ci indicano come sta cambiando la popolazione italiana nel corso del tempo. Per esempio, gli italiani diventano sempre più alti.
Alla visita militare, nel 1981, l'altezza media dei giovani era di 1,68. Dieci anni dopo (1991) l'altezza media era di 1,74.

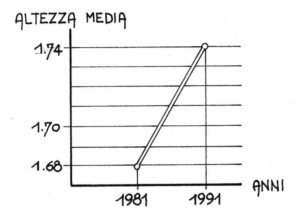

Gli italiani diventano sempre più longevi, cioè vivono più a lungo.
Sono uno dei popoli con la vita media più lunga del mondo.
Nel 1971 la speranza di vita era di: 69 anni per gli uomini, 75 per le donne.
Nel 1991 la speranza di vita era di: 73,2 anni per gli uomini, 76,7 anni per le donne.

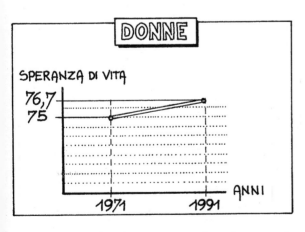

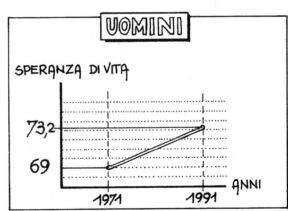

Ed ecco alcuni luoghi comuni e «frasi fatte» sugli italiani.

Un popolo di santi, poeti e navigatori.
Sono romantici e sognatori.
Sono degli imbroglioni.
Sanno godere la vita.
Amano il sole, il mare, la musica.

Tante parole, pochi fatti.
Sono furbi, si arrangiano sempre.
Sono artisti, creativi, geniali.
Non hanno voglia di lavorare.
Tutti cuore e mandolino.

Presente indicativo del verbo STARE con il gerundio

sto	mangiando	bevendo	dormendo
stai	mangiando	bevendo	dormendo
sta	mangiando	bevendo	dormendo
stiamo	mangiando	bevendo	dormendo
state	mangiando	bevendo	dormendo
stanno	mangiando	bevendo	dormendo

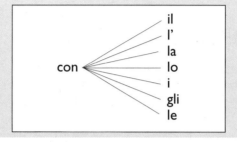

Mi sembra...   **Mi sembrano...**

I GRADI DEGLI AGGETTIVI

bello

più bello d...	(comparativo di maggioranza)
meno bello di...	(comparativo di minoranza)
bello come...	(uguaglianza)
molto bello bellissimo	(superlativo assoluto)
il più bello	(superlativo relativo di maggioranza)

maggiore ⟩ minore ⟨ – migliore – peggiore

Cerco casa

1 COM'È LA TUA CASA? CON CHI ABITI?

Abito da solo in un piccolo appartamento in via Farini.
Ci sono due stanze, i servizi, l'ingresso e un piccolo terrazzo.

Abito in un centro di accoglienza comunale per stranieri.
È un palazzo antico, ristrutturato, nel centro della città.
Divido una stanza con un amico del mio paese.
Posso starci sei mesi al massimo.

Abito in un appartamento in affitto con un'amica.
È abbastanza grande: ci sono due stanze da letto, un soggiorno, la cucina e il bagno.
Si trova in periferia.
Per fortuna paghiamo l'affitto e le spese a metà, perché è molto caro.

Io e la mia famiglia abitiamo in una casa alla periferia di Prato.
È una villetta di due piani con un giardino davanti.
Noi abitiamo al piano terreno.
Ci sono tre locali e i servizi.

a) Completa la tabella con le informazioni sulla casa di Paolo, Said, Sara e Li Ping.

	Dove abitano	Con chi abitano	Tipo di abitazione
Paolo	via Farini	da solo	bilocale con servizi e piccolo terrazzo, di proprietà
Said			
Sara			
Li Ping			

b) E tu, dove abiti? Descrivi la tua abitazione.

Si trova in centro o in periferia?
Con chi abiti?
Da quanto tempo abiti in questa casa?
Com'è la tua casa?
A quale piano abiti?
Quanti locali ci sono?
È una casa moderna, vecchia, ristrutturata?

c) Chiedi ai tuoi compagni «Com'è la tua casa?»
e poi prova a descriverla.
Esempio: La casa di Said è ...

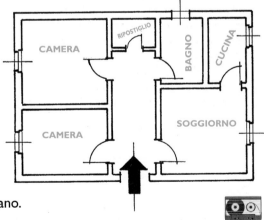

d) Ascolta la registrazione e scrivi le parole che mancano.

La casa di Fatima ha tre .... più i servizi. Appena si entra c'è un piccolo .... poco illuminato.

A .... ci sono: il soggiorno, la cucina lunga e stretta e il bagno. Ci sono due .... che si affacciano sulla strada.

A .... ci sono due camere da letto: una piccola e una più .... e uno sgabuzzino che serve da ripostiglio.

2 CERCO CASA.

Annunci di vendita o di affitto
Attenzione!

Vendesi	Si vende
Affittasi	Si affitta

(1) **AFFITTASI** monolocale più servizi e cantina. Rivolgersi 482113 ore pasti.

(2) **AFFITTASI** due locali con servizio e cucinotto. Zona stazione Centrale Tel. 2001712.

(3) **USO FORESTERIA** affittasi 80 mq. tre locali più servizi e terrazzino. Tel. 841311 ore serali.

(4) **AMPIO MONOLOCALE** libero vendesi. Servizio, angolo cottura e balcone. Tel. 5546780 ore serali.

(5) **VENDESI** bilocale e servizi arredato. Tel. 212168.

(6) **PRIVATO VENDE** appartamento in via Farini, 3 locali più servizi. 50% contanti; il resto mutuo decennale. Tel. 428907 - ore ufficio

(7) **VENDESI** appartamento via Monte Rosa. Due camere, soggiorno, cucina e bagno. Uso cantina. Tel. 7688905.

a) Dopo aver letto gli annunci, completa la tabella.

	Affitto o vendita	Com'è la casa	Dove si trova	Come rispondere all'annuncio
1	affitto	monolocale con servizi e cantina		telefonare 482113 ore pasti
2				
3				
4				
5				
6				
7				

b) Le parole della casa. Abbina i contrari.

piccolo   luminoso

ampio   occupato

libero   grande

vuoto   comprare

caro   proprietario

buio   piccolo

moderno   economico

vendere   arredato

inquilino   antico

esterno   pulito

sporco   in centro

rumoroso   interno

in periferia   silenzioso

monolocale: una stanza

bilocale: due stanze

servizi: bagno e cucina

cucinotto: piccola cucina

angolo cottura: solo acquaio e fornelli

uso foresteria: contratto di affitto come
  seconda casa

mutuo: prestito dalla banca

villetta a schiera: casa per una famiglia,
  attaccata ad altre case uguali,
  con un piccolo giardino davanti

3 SAID CERCA CASA

Said ha letto gli annunci e telefona per l'annuncio numero 2.

SIGNORINA	Agenzia Casabella, buongiorno.
SAID	Buongiorno, telefono per l'annuncio dell'appartamento in zona stazione Centrale. Vorrei avere delle informazioni.
SIGNORINA	Sono circa 50 metri, due locali con bagno e un cucinotto. È un appartamento ristrutturato, al quinto piano senza ascensore.
SAID	Quant'è l'affitto al mese?
SIGNORINA	Sono circa ottocentomila, escluse le spese.
SAID	E le spese, quanto vengono?
SIGNORINA	Circa 500.000 al trimestre.
SAID	Posso vedere l'appartamento?
SIGNORINA	Certo, possiamo fare domani alle otto e trenta, oppure venerdì alle diciotto.
SAID	Preferisco venerdì.
SIGNORINA	Mi può lasciare il suo nome e il suo numero di telefono, per favore?
SAID	Said Riham, 6533419.
SIGNORINA	Arrivederci a venerdì.
SAID	Arrivederci.

a) Rispondi alle domande.

	Vero	Falso
1. Said telefona per un appartamento da comprare.	☐	☐
2. L'appartamento ha tre locali più servizi.	☐	☐
3. L'appartamento si trova al quinto piano.	☐	☐
4. Non c'è l'ascensore.	☐	☐
5. L'appartamento è nuovo.	☐	☐
6. L'affitto è di ottocentomila mensili, senza le spese.	☐	☐
7. Le spese sono di circa 500.000 al mese.	☐	☐
8. Said non vuole vedere l'appartamento.	☐	☐

Che tipo di casa **cerchi**?

Io **cerco** un appartamento di due locali più servizi.
Mio fratello cer**ca** un monolocale.

Noi **cerchiamo** un appartamento più grande perché siamo in quattro.

Loro **cercano** una stanza ammobiliata per tre mesi.

E voi, che tipo di casa **cercate**?

a) Completa le frasi con il verbo «cercare».

(Io, appartamento arredato) – Io cerco un appartamento arredato.

1. Tu, casa in affitto.
2. Mio fratello, posto per dormire.
3. Noi, casa da comprare.
4. Carlo, villetta a schiera.
5. I miei amici, posto in un centro di accoglienza.
7. Luisa, stanza con un'amica.
8. Loro, appartamento più grande.

pago
pa**ghi**
paga
pa**ghi**amo
pagate
pagano

b) Quanto pagano d'affitto queste persone ogni tre mesi?
Rispondi, usando il verbo «pagare».

Said .... 900.000.

Sara .... 650.000 escluse le spese.

Noi .... circa un milione.

I miei amici .... 450.000.

Voi .... 800.000 comprese le spese.

Io .... tantissimo.

Tu .... poco.

500.000	cinquecentomila
600.000	seicentomila
750.000	settecentocinquantamila
1.000.000	un milione
2.000.000	due milioni

a) Completa con le parole scritte in fondo.

Lucia abita in un appartamento di 80 ....

Sono due ....arredati: un soggiorno, una .... da letto; ci sono anche una pic-

cola cucina e il ....

L'appartamento si trova al quarto .... di un palazzo moderno; non c'è l' ....

C'è un piccolo .... dove Lucia ha messo dei vasi di fiori e delle piante.

(terrazzo - piano - metri quadrati - camera - locali - bagno - ascensore)

b) In quale parte della casa si trovano queste persone? Che cosa stanno facendo?
Guarda il disegno e rispondi.

1. È in camera da letto. Sta mettendo i vestiti nei cassetti.

2. ....

3. ....

4. ....

5. ....

6. ....

7. ....

8. ....

9. ....

6 | I MOBILI IN CUCINA E IN SALOTTO.

a) Indica dove si trovano i mobili e gli oggetti, usando le espressioni di luogo:

sopra / sotto — davanti / dietro — vicino a / di fianco a
a destra / a sinistra — dentro / fuori — in / su (+ articoli).

L'acquaio è vicino al frigorifero.
Sul tavolo ci sono le posate.
Lo scaffale è sopra la cucina.

nella	libreria / tazzina / pattumiera	**sul**	pavimento / letto / comodino
nel	frigo / vaso / forno / portacenere	**sulla**	vasca
nell'	acquaio / armadietto	**sull'**	armadietto
nello	sgabuzzino	**sullo**	specchio
nelle	pentole	**sui**	muri
nei	piatti	**sulle**	pareti
negli	armadietti	**sugli**	scaffali

b) Forma delle frasi con «c'è — ci sono» e la preposizione «in» con l'articolo adatto.

Nella pattumiera c'è l'immondizia.
Nella tazzina c'è il caffè.

a) Indica la posizione degli oggetti e dei mobili.

Il comodino è di fianco al letto.
Il quadro è sopra il letto.

....

....

....

b) Forma delle frasi come negli esempi:

Sul pavimento della camera c'è un tappetino.
Sul letto ci sono la coperta, le lenzuola e il cuscino.
Sulla sedia c'è un cuscino.

c) Continua, tu come negli esempi:
(occhiali? sedia) – Dove sono i miei occhiali? Eccoli, sono sulla sedia.
(sciarpa? poltrona) – Dov'è la mia sciarpa? Eccola, è sulla poltrona.

1. cappello? sedia.
2. giornali? divano.
3. chiavi? tavolo.
4. passaporto? scaffale.
5. guanti? poltrona.
6. borsa? mobile.
7. orologio? frigo.
8. pettine? pavimento.

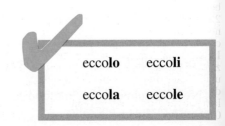

eccolo	eccoli
eccola	eccole

8 ARREDIAMO LA CASA.

a) Completa con la preposizione «in – su» e l'articolo adatto.

Mettiamo la lampada rosa .... ingresso e la poltrona antica .... soggiorno.

Sistemiamo i libri .... libreria e mettiamo le piante .... vasi nuovi.

Gli armadi bianchi li mettiamo .... camera da letto piccola e gli scaffali .... sgabuzzino.

Mettiamo le due sedie nere .... studio e gli attaccapanni .... ingresso.

E i tappeti, dove li mettiamo? Uno lo mettiamo .... soggiorno e quello piccolo .... camera da letto grande.

.... tavolino del soggiorno mettiamo il televisore e .... mensole della libreria tutti i nostri libri.

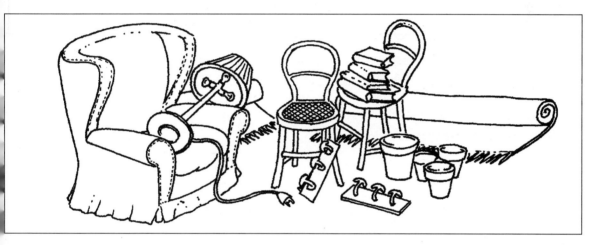

b) Hai circa un milione e vuoi arredare la camera da letto e il soggiorno. Leggi gli annunci di vendita di mobili e fai la lista di quello che puoi comprare.

LETTI in legno molto belli ad una piazza vendo L 45.000 cad. + reti come nuove L 35.000 cad. - 049/89715641.
LETTI singoli (2), anche uso matrimoniale, buono stato, vendo L 100.000; 1 letto singolo in ferro battuto. L 25.000 - 041/9802206.
LETTO matrimoniale completo di rete e comodino, scarpiera tre ante in legno - dopo h 20 – 049/6443721.
LETTO matrimoniale con comodini, trumeau, tutto in noce massiccio, vendo L 1.000.000 tratt.; tavolo bamboo e cristallo piombato e brunito con 2 sedie bamboo, L 150.000; 6 sedie in noce massello come nuove, prezzo da concordare. Stefano hp 049/6804569.
LETTO matrimoniale in ottone bronzato e satinato a doppia tastiera mod. unico manifattura fiorentina completo di rete + comò e comodini in stile, lampadario e poltroncina vendo - hp 049/6915746.

LETTO singolo molto stabile e robusto, che si trasforma in una comoda poltrona, completo di tre grandi cuscini L 150.000 non tratt. - Carla hp - 049/87960706.
ARMADIO 2 ante come nuovo, cm. 190x115 tinta legno, vendo L 160.000 tratt. - 049/89875641.
ARMADIO con sopralzo blu con bordini bianchi mt. 2x2.40 L 300.000 - 049/6029617.
ARMADIO legno bianco per bagno vendo prezzo realizzo - 049/8120508.
ARMADIO m. 3x2 con letto matrimoniale vendo tutto L 500.000 - 0429/722155.
ARMADIO teak 5 ante. mt. 3,10xh. 1,80x0,60 L 250.000 tratt. - Toni 049/6372468.
LIBRERIA a vista 5 piani, legno scuro h cm 180 vendo - 049/698304.
LIBRERIA scrivania a parete 2.80 noce chiara vendo L 250.000 - hp 049/6054193.

TAVOLO nuovo, rotondo allungabile, in legno con 4 gambe L 350.000 vendo - 049/6465859.
TAVOLO quadrato laminato bianco L 100.000; poltrona pieghevole Croff rivestita in tessuto rosso L 170.000; due sedie pieghevoli da cucina in plastica marrone Croff L 30.000; 2 sgabelli impagliati (uno alto ed uno basso) L 20.000; sedia in paglia di Vienna L 30.000; carrello con due ripiani ovali in legno laccato bianco L 200.000 tutto in blocco L 450.000 - 049/86463094.
TAVOLO rettangolare gambe cipolla cm. 200x80x80 in ciliegio, buono stato, vendo L 220.000 - hs 041/5238890.
TAVOLO rotondo allung. con 4 sedie, vendo L 200.000 tratt. - 049/87109582.
TAVOLO rotondo allungabile con 4 sedie impagliate L 200.000 vendo - hp 049/7510746.

10

> Cara Luisa, ti do subito la grande notizia: ho trovato casa!
> Da tre giorni abito con Leila in Via Carducci, 9 _ È in periferia,
> un po' lontano dal centro, ma ci sono due autobus como=
> di_ L'appartamento è al IV piano (senza ascensore); è
> abbastanza grande (80 metri), ci sono: due stanze da letto,
> un grande soggiorno, la cucina abitabile e il bagno_ È
> bello e luminoso! Non ho ancora il telefono, ma il
> nuovo numero è 6895221 _ Ti invito a cena sabato pros=
> simo per una piccola festa di inaugurazione _ Ciao
> Ti aspetto _ Porta chi vuoi!   Sara

a) Leggi la lettera di Sara che descrive la sua nuova casa e prova a dire dove si trova la casa di Sara, a quale piano, che dimensioni ha, quanti locali ci sono, com'è.

b) Descrivi brevemente la tua abitazione.

10

> CERCO appartamento in affitto in zona semicentrale vicino metropolitana.

> CERCHIAMO stanza da dividere con altri studenti vicino Università.

> STUDENTESSA cerca alloggio presso famiglia. Max 500.000 mensili. Bagno personale.

> CERCO da ottobre a giugno monolocale arredato con servizi. Max 800.000 mensili.

a) Scrivi un annuncio per cercare la casa che desideri.

a) Scrivi i nomi di questi mobili, elettrodomestici e oggetti nelle caselle numerate.

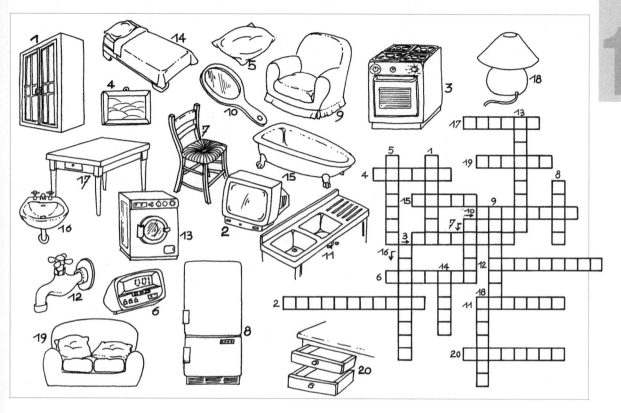

b) Cancella la parola estranea come nell'esempio:

abitazione alloggio ~~cielo~~ casa	studente inquilino contratto padrone di casa	porte muri mare finestre	soggiorno bagno stazione cucina
locali stanze strade camere	tavolo sedie poltrona penna	frigorifero lavatrice televisore acqua	palazzo villa edificio ponte
occupato libero studiato affittato	pareti soffitto pavimento bagno	pranzo luce acqua gas	abitare traslocare affittare studiare

12 Avvisi agli inquilini.

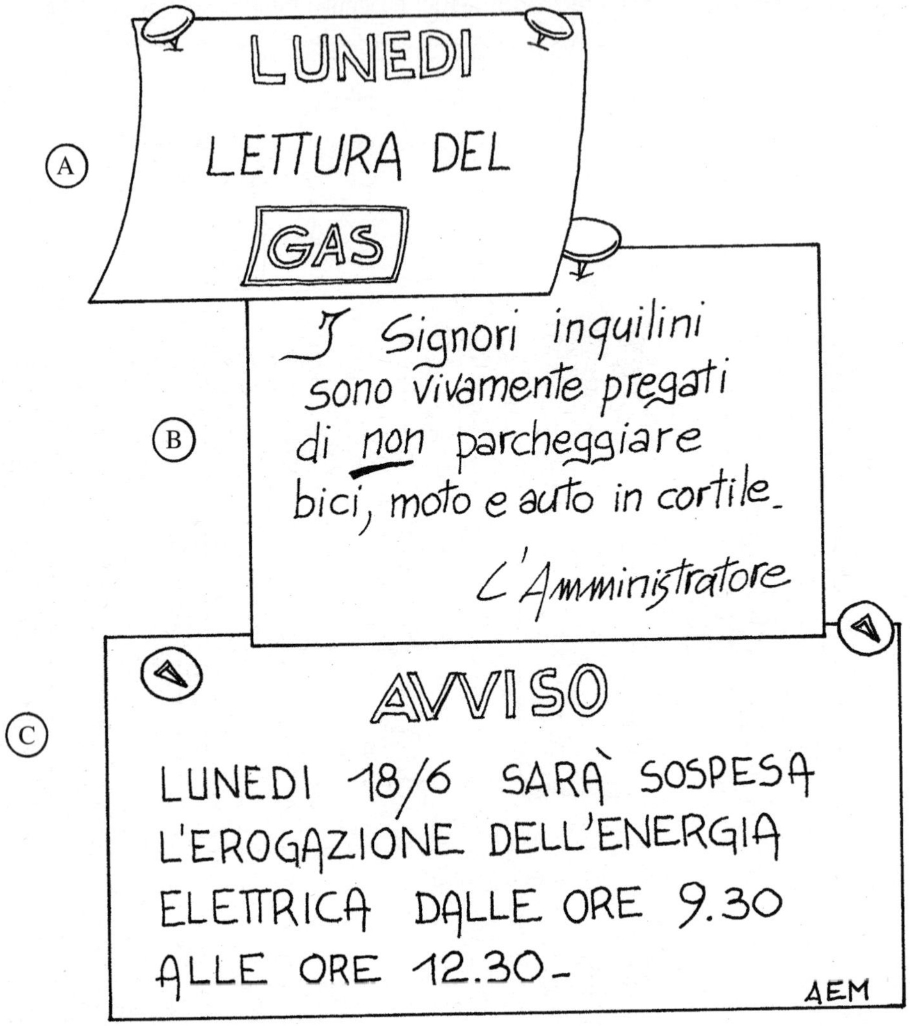
A
LUNEDI
LETTURA DEL
GAS
B
I Signori inquilini
sono vivamente pregati
di non parcheggiare
bici, moto e auto in cortile.
L'Amministratore
C
AVVISO
LUNEDI 18/6 SARÀ SOSPESA
L'EROGAZIONE DELL'ENERGIA
ELETTRICA DALLE ORE 9.30
ALLE ORE 12.30.
AEM

a) Scegli la risposta giusta.

Avviso A.	Lunedì c'è la lettura della luce.	☐
	dell'acqua.	☐
	del gas.	☐
Avviso B.	Si possono lasciare bici, moto e macchine in cortile.	☐
	È vietato lasciare bici, moto e macchine nel cortile.	☐
	Solo le bici possono stare in cortile.	☐
Avviso C.	Lunedì 18 giugno non c'è il gas.	☐
	Lunedì 18 giugno non c'è l'acqua.	☐
	Lunedì 18 giugno non c'è la luce.	☐

LA CASA IN ITALIA: ALCUNI DATI

Le abitazioni sono 24.802.884, con un aumento rispetto al '91 di quasi 3 milioni. Diciannove milioni e mezzo sono le case occupate. Le altre, sottolinea l'Istat, sono in gran parte alloggi per le vacanze. *(Dati Istat, 1994).*

Numero totale di abitazioni:	24.800.000 circa
Abitazioni occupate:	19.500.000 circa
Abitazioni non occupate stabilmente (seconda casa):	5.300.000 circa

I PREZZI DELLE CASE

Negli ultimi anni i prezzi delle case in Italia sono leggermente diminuiti quasi dappertutto.
I prezzi però sono ancora molto alti, soprattutto nelle città e nelle zone centrali e semicentrali.
Ecco quanto costa un appartamento al metro quadrato a Genova e a Milano e in altre grandi città e quanto sono cambiati i prezzi in dieci anni.

(La Repubblica, 13/3/94)

Andamento dei prezzi medi nelle grandi città (migliaia di lire al m²)		1984	1986	1988	1990	1991	1992	1993	1994 (febbraio)
Roma	Centro	3.100	3.300	3.800	7.500	9.500	9.800	9.100	8.900
	Semicentro	1.900	2.100	2.600	3.500	4.800	4.850	4.700	4.600
	Periferia	1.200	1.300	1.400	2.600	3.000	3.250	3.000	3.100
Milano	Centro	3.300	3.400	4.250	8.800	10.500	11.800	9.700	9.300
	Semicentro	2.000	2.200	3.200	4.700	5.400	5.850	5.250	5.150
	Periferia	1.300	1.400	1.700	2.800	3.300	3.700	3.300	3.300
Torino	Centro	1.900	2.000	2.400	3.600	5.400	5.350	4.950	4.800
	Semicentro	1.400	1.450	1.650	2.650	3.800	4.150	3.550	3.500
	Periferia	900	1.000	1.200	1.850	2.300	2.600	2.450	2.450
Napoli	Centro	2.100	2.350	2.600	4.700	6.500	7.150	6.500	6.350
	Semicentro	1.400	1.500	1.600	2.800	4.200	4.150	2.950	2.900
	Periferia	950	1.000	1.300	2.000	2.400	2.500	1.800	1.800
Bologna	Centro	2.300	2.400	2.750	3.800	4.200	5.500	5.300	5.250
	Semicentro	1.600	1.700	1.950	2.600	2.900	3.700	3.600	3.600
	Periferia	1.100	1.150	1.500	2.000	2.100	2.600	2.600	2.650
Firenze	Centro	2.000	2.100	2.800	3.800	5.000	5.900	5.500	5.100
	Semicentro	1.500	1.600	1.800	2.700	4.200	4.550	4.200	4.200
	Periferia	1.100	1.200	1.450	2.150	3.400	3.500	3.300	3.200
Genova	Centro	2.300	2.500	2.750	3.900	4.900	5.400	4.900	4.800
	Semicentro	1.600	1.700	1.900	2.400	3.000	3.800	3.300	3.300
	Periferia	1.200	1.250	1.350	1.800	2.100	2.650	2.300	2.350

Nota: I valori si riferiscono ad abitazioni di circa 100 mq, in buone condizioni di manutenzione, situati in condominio (piani intermedi)

10

In Italia alcuni servizi sono disponibili per tutta la popolazione, come acqua, luce, gas, telefono e i servizi della nettezza urbana.

Quando si va a vivere in una casa bisogna fare il contratto per la luce, il gas e il telefono. Questi servizi si pagano con bollette bimestrali (ogni due mesi).

Le bollette si possono pagare in posta o in banca utilizzando moduli che vengono spediti a casa. Ogni bolletta va pagata entro la data di scadenza.

In caso di guasti agli impianti, o di perdite di gas o di acqua, si deve telefonare subito all'ufficio guasti.

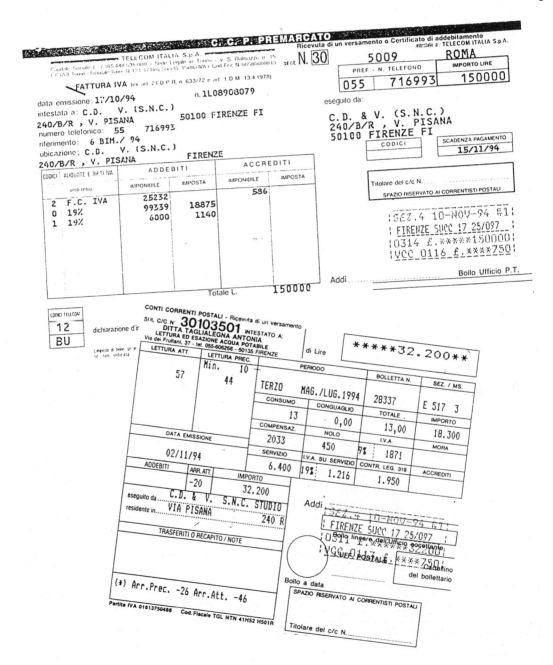

LE BOLLETTE

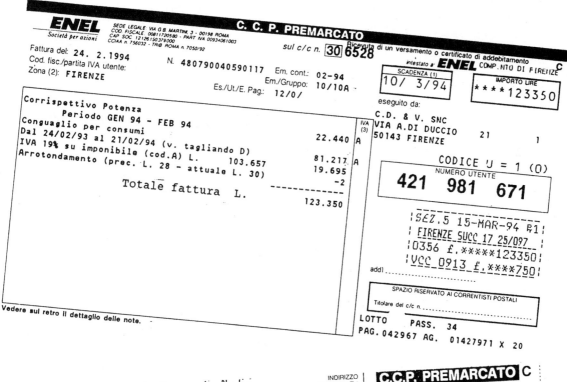

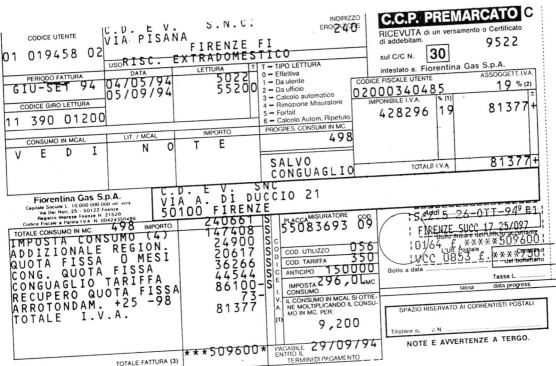

Presente indicativo dei verbi PAGARE e CERCARE

pago	cerco
paghi	cerchi
paga	cerca
paghiamo	cerchiamo
pagate	cercate
pagano	cercano

Le preposizioni articolate

	il	lo	l'	la	i	gli	le
a	al	allo	all'	alla	ai	agli	alle
di	del	dello	dell'	della	dei	degli	delle
da	dal	dallo	dall'	dalla	dai	dagli	dalle
con	con il	con lo	con l'	con la	con i	con gli	con le
in	nel	nello	nell'	nella	nei	negli	nelle
su	sul	sullo	sull'	sulla	sui	sugli	sulle

I pronomi diretti con ECCO

Eccolo   Eccola   Eccoli   Eccole

Che cosa avete fatto domenica scorsa?

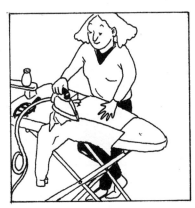

1 CHE COSA AVETE FATTO SABATO E DOMENICA?

Allora, com'è andato il fine settimana?

Che cosa avete fatto di bello?

Domenica pomeriggio siamo andati a vedere la partita.

Sabato sera sono andato in discoteca con gli amici.

Io sono andata al cinema e ho visto un film bellissimo.

Io e mia moglie abbiamo fatto un giro in bici in campagna.

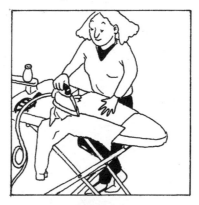

Sono stata in casa tutta la domenica; ho pulito, stirato, lavato...

Noi siamo andate a casa di amici e abbiamo cenato da loro.

Non ho fatto niente di speciale, ho dormito tanto, mi sono riposato.

Sono andata a vedere una mostra di pittura e ho letto un libro.

Io purtroppo ho dovuto lavorare.

a) Che cosa hanno fatto? Dove sono andati? Abbina le frasi ai disegni.

1. Sono andati allo stadio e hanno visto la partita.

2. Sono andati in campagna in bici e hanno fatto un bel giro.

3. È andato in discoteca e ha ballato.

4. È stata in casa e ha stirato.

5. È andato in ospedale e ha lavorato.

6. È stato a casa e ha dormito.

7. Sono andate a casa di amici e hanno cenato da loro.

8. È andata al cinema e ha visto un bel film.

9. È andata a una mostra e ha letto un libro.

in	discoteca	**a**	teatro	**al**	cinema
	pizzeria		casa		mercato
	piscina		scuola		ristorante
	palestra				
	campagna			**alla**	mostra
	montagna	**da**	Marco		
	ospedale		te	**allo**	stadio
			me		
			zia Lina	**dal**	parrucchiere
			loro		dentista
					fruttivendolo

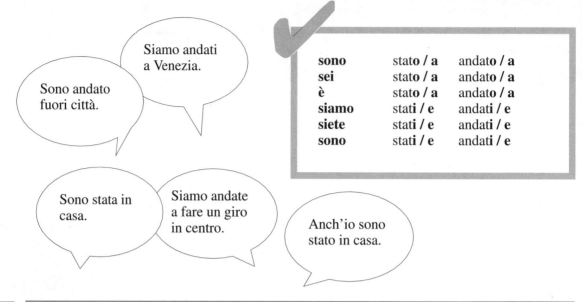

3 DALL'AGENDA DI CARLO E PAOLA.

a) Dove sono andati?
Leggi le agende di Carlo e di Paola.

Carlo — sabato 26
10 - dentista

11,30 - piscina

15 - mostra di Sironi

20,30 - "Sushi" ristorante giapponese

Paola — sabato 26
11 - zia Luisa

14 - mercato

17 - parrucchiere

22 - discoteca

b) Completa come nell'esempio.

(Noi, cinema) Noi siamo andati al cinema.

1. Carlos, pizzeria.
2. Sara, centro.
3. Tomas e Marco, stadio.
4. Voi, vostri amici.

5. Lucia e Nadia, scuola.
6. Io, Bologna.
7. Le mie amiche, cinema.
8. Tu, teatro.

b) Forma e completa la frase, come nell'esempio:

Io sono andata in Questura per rinnovare il permesso di soggiorno.

1. Io, Questura
2. Li Li, scuola
3. Tomas, bar
4. Noi, cinema
5. Voi, stadio
6. I miei amici, pizzeria
7. Tu, posta
8. Le mie amiche, discoteca

a vedere l'ultimo film di Moretti.
a vedere la partita.
per rinnovare il permesso di soggiorno.
per spedire una raccomandata.
per imparare l'italiano.
a bere un caffè.
a ballare.
a mangiare qualcosa insieme.

Come «stare» e «andare» formano il passato prossimo con il verbo «essere» anche i verbi «rimanere» e «restare» e:

• i verbi di movimento e di cambiamento:

uscire, entrare, salire, scendere, partire, arrivare, venire, tornare…
Sono entrato e poi sono uscito.

nascere, crescere, diventare, morire…
Sono nati due gemelli.

• i verbi riflessivi:

svegliarsi, alzarsi, lavarsi, addormentarsi, pettinarsi…
Mi sono svegliata tardi.

---

4 UN SABATO TRANQUILLO.

Ieri mattina Said si è svegliato tardi, verso le nove.
Si è fatto la doccia, si è lavato i capelli, si è vestito con calma.
Alle dieci è uscito ed è andato a fare un giro in centro per vedere le vetrine e fare la spesa.
A mezzogiorno è tornato a casa per cucinare.
All'una sono arrivati il suo amico Aziz e sua moglie.
Nel pomeriggio sono andati al cinema tutti insieme e la sera sono andati a trovare degli amici.

a) Trasforma la storia di Said nella tua e in quella di Sara.

Ieri mattina io…
Ieri mattina Sara…

b) Abbina la domanda alla risposta, come nell'esempio.

1. A che ora sei uscito ieri sera?
2 Da dove siete partiti?
3. A che ora è venuto Tomas?
4. Carla è tornata?
5. Sono arrivate le mie amiche?
6. Come sei venuta a scuola?
7. È nato il bambino di Lucia?
8. Vi siete addormentati molto tardi ieri notte?

	Siamo partiti dall'aeroporto di Linate.
	Sì, è tornata questa mattina alle sette.
1	Sono uscito verso le otto e mezzo.
	È venuto mezz'ora fa.
	Sì, è nato ieri mattina.
	Tardissimo, ci siamo addormentati alle quattro.
	Sono venuta a piedi perché c'è lo sciopero dei mezzi.
	Sì, sono arrivate poco fa.

ALCUNE ESPRESSIONI DI TEMPO

Al tempo presente:	Al tempo passato:
adesso – oggi – in questo momento – attualmente – al giorno d'oggi – di solito – abitualmente – sempre.	ieri – l'altro ieri – la settimana scorsa – il mese scorso – l'anno scorso – due giorni fa – un anno fa – un'ora fa – il mese passato – nel 1991.

c) Trasforma queste frasi dal presente al passato usando le espressioni di tempo.

(Sara parte) – Sara è partita due ore fa.

1. Marco torna. ....
2. Luca e Marco arrivano. ....
3. Luisa parte per Como. ....
4. Viene mia madre. ....
5. Arriva mio padre. ....
6. Vengono le mie sorelle. ....
7. Arrivano i miei amici. ....
8. Paolo, quando torni? ....
9. Maria, con chi esci? ....
10. Entro nel bar. ....
11. Esco dal cinema. ....
12. Torno in treno. ....

5 TEMPO LIBERO E PASSATEMPI.

Quando hai fatto queste cose l'ultima volta?

Attività	Quando
ballare in discoteca	sabato scorso
guardare la TV	
fare una festa	
leggere un libro	
fare una passeggiata	
vedere un film	
incontrare gli amici	
sentire musica	
fare dello sport	
nuotare	
mangiare una pizza	
fare ginnastica	

a) Dopo avere completato la tabella, forma delle frasi, come negli esempi.

Sabato scorso ho ballato in discoteca.
Ieri sera ho guardato la TV.

....

....

....

....

Attenzione :	ballare	→	ball**ato**	ascoltare	→	ascoltato
	mangiare		mangiato	nuotare		nuotato
	vendere		vend**uto**	tenere		tenuto
	compiere		compiuto	avere		avuto
	dormire		dorm**ito**	capire		capito
	sentire		sentito	finire		finito
ma :	vedere		visto	prendere		preso
	leggere		letto	mettere		messo
	scrivere		scritto	fare		fatto

b) Completa con il verbo al passato prossimo.

(Luca, guardare, TV) – Luca ha guardato la TV.

1. Marco, vedere, film.
2. Sara, sentire, musica.
3. Voi, ballare.
4. Mio figlio, giocare a pallone.
5. Mia figlia, dormire.
6. Said, fare, giro.
7. Noi, giocare a tennis.
8. I miei amici, vedere, partita.
9. Le mie amiche, visitare, mostra.

c) Che cosa hanno fatto domenica scorsa Paolo e Sara?
Ascolta la registrazione e poi rispondi alle domande.

1. Alle tre Paolo e Sara sono andati
   - ☐ al cinema.
   - ☐ all'ospedale.
   - ☐ in discoteca.

2. La loro amica Luisa ha avuto
   - ☐ un bambino.
   - ☐ un invito.
   - ☐ un lavoro.

3. Alle sei sono andati
   - ☐ a teatro.
   - ☐ allo stadio.
   - ☐ al cinema.

4. Hanno cenato
   - ☐ in pizzeria.
   - ☐ da Paolo.
   - ☐ da Sara.

6 LA DOMENICA DI...

a) Usando le espressioni e i verbi tra parentesi continua tu a raccontare.

Domenica abbiamo preso le biciclette...

(andare fuori città – fare un bel giro – mangiare in una trattoria casalinga – dormire sull'erba – tornare a casa verso le otto – andare a letto molto stanchi).

Ieri pomeriggio ho telefonato a Sara...

(alle cinque andare da lei – uscire insieme – andare al cinema – andare al ristorante cinese – incontrare due amici – andare tutti insieme in discoteca).

b) E tu, che cosa hai fato sabato scorso?
E domenica scorsa? Racconta.

c) Chiedi ai compagni che cosa hanno fatto domenica scorsa e poi racconta.

Esempio: Domenica scorsa Aziz...

7 IL GIOCO DELL'OCA.

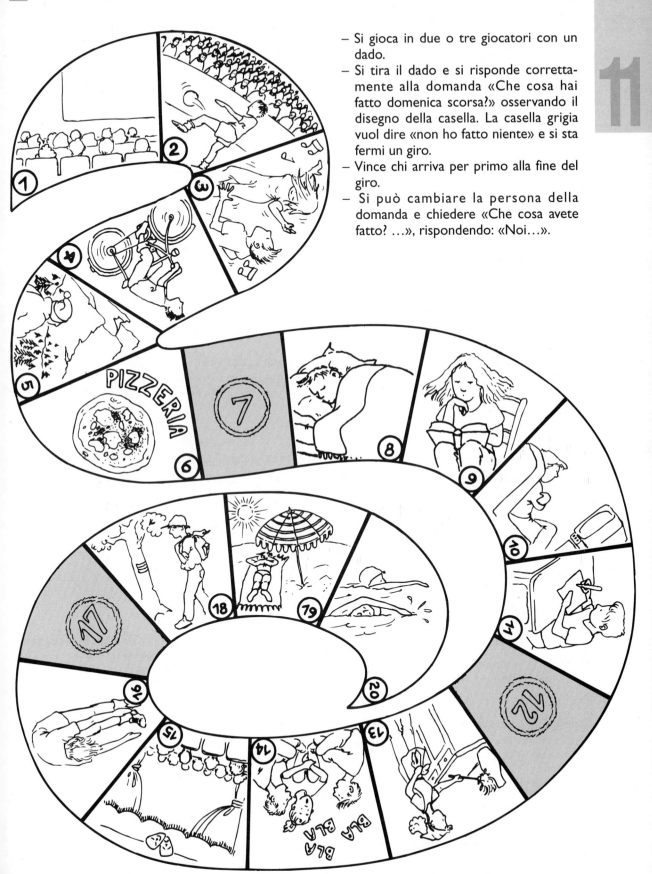

- Si gioca in due o tre giocatori con un dado.
- Si tira il dado e si risponde correttamente alla domanda «Che cosa hai fatto domenica scorsa?» osservando il disegno della casella. La casella grigia vuol dire «non ho fatto niente» e si sta fermi un giro.
- Vince chi arriva per primo alla fine del giro.
- Si può cambiare la persona della domanda e chiedere «Che cosa avete fatto? ...», rispondendo: «Noi...».

8 UN SALUTO DALLA CAMPAGNA.

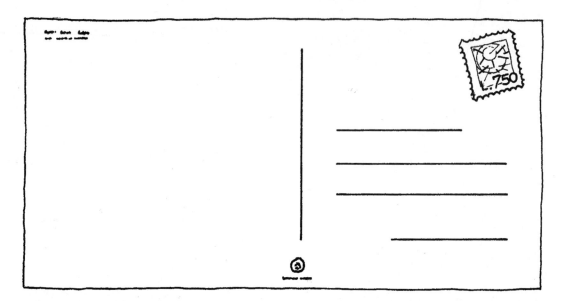

a) Scrivi una cartolina a un amico e racconta la gita che hai fatto in campagna domenica scorsa.

- andare in campagna
- incontrare i vecchi amici
- cantare, ballare, divertirsi

- mangiare i tortellini fatti in casa
- vedere gli aironi sul fiume
- visitare un'antica chiesa

b) Completa le frasi con i verbi «essere» e «avere», seguendo l'esempio.

Sono andata in campagna e ho visto gli aironi.

1. Said .... andato al cinema e .... visto un bel film.

2. Lucia .... stata a casa e .... letto un libro.

3. Noi .... visitato la pinacoteca di Brera quando .... venuti a Milano.

4. Mio fratello e mia cognata .... cambiato lavoro e .... andati a vivere in campagna.

5. Noi .... state a casa di Sara e .... cenato con lei.

6. (Tu) .... andato in discoteca? .... visto i tuoi amici?

7. Io e i miei figli .... fatto lunghe passeggiate quando .... stati in montagna.

8. (Voi) .... stati a scuola? .... incontrato Luca?

Caro diario,

c) Prova a scrivere sul tuo diario tutto quello che hai fatto ieri.

> ● *Lucio Dalla*, canzone d'
> autore al Teatro Donizetti di
> Bergamo (ore 21.00, platea
> 55/45mila lire, galleria
> 35mila)
> (1)

Sono andato	a	mangiare una pizza.
		vedere un film.
		giocare a tennis.

11

MOSTRE

● **I Goti**
Palazzo Reale - orario: 9.30/19.30, chiuso lunedì. Fino all'8 maggio.

CINEMA
METROPOL ▸◂
(Venezia - viale Piave,
24 - MM1 Venezia,
Tram 9-23-29-30, Bus
54-56-61)
Tel. 79.99.13
L. 10.000

PERDIAMOCI DI VISTA
Commedia
Regia di C. Verdone -
Con C. Verdone, A.
Argento
Ore 15.15 - 17.40 -
20.05 - 22.30
(3)

TEATRO 20.00
ALLA SCALA ▸◂
piazza della Scala - 20121 Milano
M1/M3 Duomo; tram 1, 4 - Tel. 72003744
La rondine di Puccini, direttore Gianandrea Gavazzeni, regia di Nicolas
Joel, scene di Emilio Carcano, costumi di Claudie Gasline, con Pietro
Ballo, Paolo Barbacini, Alessandro Cassis, Denia Mazzola. Turno B

(4)

Di Gennaro

RISTORANTE - PIZZERIA

Il piacere della pizza
a due passi dal Duomo

MILANO • via S. Radegonda, 14 (MM DUOMO)
Tel. 805.34.54 - 805.61.08 - chiuso giovedì
(2)

Domenica **27**

Sport

● Calcio: **Milan-Bari** al
Meazza di San Siro, alle 15.
(5)

Teatro

● **Nanni Svampa** canta
Brassens al Teatro
Smeraldo. Stasera alle 21
(6)

● **Disegno e scultura nell'arte italiana del XX secolo**
*Palazzo della Permanente, via Turati 34 - 6551445 - ora-
rio: 10/13 e 14.30/18.30, sabato e festivi 10/18.30,
chiuso lunedì. Fino al 13 marzo.*
(7)

Domenica **27**

● *Laura Fedele Quartet*, jazz
alle Scimmie (ore 22.30, ingresso libero)
(8)

a) Leggi gli annunci e poi prova a raccontare cosa hanno fatto queste persone, come nell'esempio:

Maria è andata a vedere la mostra «I Goti» a Palazzo Reale.

1. Carlo ....
2. Giovanni ....
3. Marta e Lucia ....
4. Mario ....

5. Paolo e Simone ....
6. Sara e le sue amiche ....
7. Luigi e i suoi amici ....
8. La signora Bianchi ....

b) Domenica scorsa Nino, sua moglie, i bambini e i signori Rossi sono andati fuori città.
Leggi i due annunci e poi prova a rispondere alle domande.

Domenica 27 febbraio a Pantigliate (MI) (tel. 02-90600350, km 17 da Milano) *Festa di mezza Quaresima.*
Festa popolare a sfondo religioso con processione, giostre, bancarelle, pesca di beneficenza, lotterie e banchetti gastronomici.

Dove sono andati Nino e la sua famiglia?

Che festa c'è stata?

Che cosa hanno fatto?

Domenica 27 febbraio a Suzzara (MN) (tel. 0376-534051, km 22 da Mantova e 167 da Milano) *Cose d'altri tempi, ovvero mercatino dell'antiquariato.*
Si tiene ogni ultima domenica del mese (escluso luglio) in piazza Garibaldi e nelle vie limitrofe. Sono presenti circa 200 espositori specializzati in oggetti di piccolo antiquariato e di artigianato. Tra i cibi caratteristici sono da ricordare i cappelletti, gli agnoli, i tortelli di zucca e lo stracotto.
(Tito Saffioti)

Dove sono andati i signori Rossi?

Che cosa hanno visitato?

Che cosa hanno potuto comprare?

Che cosa hanno potuto mangiare?

GIANNI   Allora, che ne dite? Vi è piaciuto il film?

SARA   Mi sono piaciuti gli attori e la fotografia, ma è un po' troppo lungo e in certi
punti è noioso.

LUCA   Anche a me sono piaciute molto le immagini, ma non è certo un capolavoro!
Non mi è piaciuto il secondo tempo.

GIANNI   Devo dire che invece a me è proprio piaciuto. Secondo me, è il film più bello di questo
regista. Mi è piaciuta molto anche l'attrice protagonista: è bellissima e proprio brava.

Attenzione!

Ti è piaciu**to** il film?	Ti sono piaciu**ti** i film?
Ti è piaciu**ta** l'attrice?	Ti sono piaciu**te** le attrici?
Ti è piaciu**to** l'attore?	Ti sono piaciu**ti** gli attori?
Ti è piaciu**ta** la foto?	Ti sono piaciu**te** le foto?

---

a) Scegli l'aggettivo adatto, come nell'esempio:
Che film noioso - ~~noiosa~~

1. Che spettacolo interessanti - interessante!
2. Che attrice stupendo - stupenda!
3. Che trasmissione piacevole - piacevoli!
4. Che musica assordante - assordanti!
5. Che film scadenti - scadente!

6. Che libro divertenti - divertente!
7. Che belli - belle immagini!
8. Che brutta - brutto fine!
9. Che storia confuso - confusa!
10. Che storia appassionante - appassionanti!

b) Fai delle domande come nell'esempio:

(A te, film) – Ti è piaciuto il film?

1. A voi, musica
2. A lei, concerto
3. A lui, trasmissione
4. A voi, fotografie

5. A te, canzoni di Sanremo
6. A loro, libri gialli
7. A te, videocassetta
8. A lei, dischi

a) Hai mai provato a fare questi sport? Con quale frequenza? Completa la tabella.

Sport	spesso	qualche volta	una sola volta	mai
sci (sciare) nuoto (nuotare) pattinaggio (pattinare) marcia (marciare) calcio (giocare a…) pallacanestro (giocare a…) tennis (giocare a…) golf (giocare a…) pallavolo (giocare a…)				

b) Forma delle frasi al passato.

> Ho giocato **spesso** a calcio.
> Ho giocato **qualche volta** a calcio.
>
> Ho giocato **una sola** volta a calcio
> Non ho **mai** giocato a calcio.

c) Completa il cruciverba con i nomi di sport.

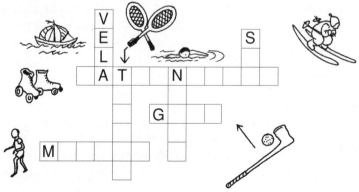

IL TEMPO LIBERO DEGLI ITALIANI

Come passano il tempo libero gli italiani?

Moltissime persone la sera stanno davanti alla TV per rilassarsi e per distrarsi.

Soprattutto a partire dalla fine degli anni settanta, con le televisioni private e con l'aumento del numero di canali, guardare la TV è diventata l'attività di tempo libero più diffusa fra gli italiani di tutte le età.

I diversi canali trasmettono a tutte le ore trasmissioni per tutti i gusti: film, telefilm, cronache sportive, attualità, notizie, cartoni animati, musica…

Il sabato e la domenica si va anche al cinema, a teatro, in un locale ad ascoltare musica e a bere qualcosa con gli amici.

Naturalmente i giovani escono più spesso degli adulti, soprattutto durante il fine settimana.

Un altro modo per passare il tempo libero e per stare in compagnia è andare a cena fuori, al ristorante, in pizzeria, in trattoria, oppure invitare a cena gli amici.

Il sabato e la domenica chi abita nelle grandi città, quando può, fa delle passeggiate in campagna o fuori porta per respirare aria pulita e stare in mezzo al verde.

Le attività fisiche o sportive non sono molto diffuse fra gli italiani. Solo pochi praticano uno sport e sono soprattutto i più giovani.

Le statistiche dicono che gli italiani dedicano all'attività fisica e sportiva solo dieci minuti al giorno. I tifosi sono invece moltissimi.

In Italia la passione per lo sport è molto diffusa e il calcio è sicuramente lo sport più popolare e famoso. Molti tifosi seguono la squadra del cuore e ogni domenica vanno allo stadio a vedere le partite; altri ascoltano la partita alla radio o la guardano in TV.

I calciatori più bravi, quelli che segnano i goal e fanno vincere la squadra, sono delle vere celebrità.

Per la squadra di calcio si litiga, si discute e, quando perde, si piange; al contrario, in caso di vittoria si canta e si fa festa.

C'è purtroppo anche un tifo violento che causa danni, risse, feriti. In questi anni ci sono stati alcuni episodi di violenza e alcune aggressioni fra tifosi di squadre diverse.

Indicativo passato prossimo con il verbo ESSERE

	Stare	Nascere	Partire
sono	stato / a	nato / a	partito / a
sei	stato / a	nato / a	partito / a
è	stato / a	nato / a	partito / a
siamo	stati / e	nati / e	partiti / e
siete	stati / e	nati / e	partiti / e
sono	stati / e	nati / e	partiti / e

Indicativo passato prossimo con il verbo AVERE

	Giocare	Ricevere	Sentire
ho	giocato	ricevuto	sentito
hai	giocato	ricevuto	sentito
ha	giocato	ricevuto	sentito
abbiamo	giocato	ricevuto	sentito
avete	giocato	ricevuto	sentito
hanno	giocato	ricevuto	sentito

Alcuni participi passati irregolari

accendere	acceso	rimanere	rimasto
aprire	aperto	rispondere	risposto
bere	bevuto	rompere	rotto
chiedere	chiesto	scegliere	scelto
chiudere	chiuso	scendere	sceso
correre	corso	scrivere	scritto
dire	detto	spegnere	spento
fare	fatto	spendere	speso
leggere	letto	succedere	successo
mettere	messo	vedere	visto
perdere	perso	venire	venuto
prendere	preso	vincere	vinto

I pronomi indiretti e il passato prossimo del verbo PIACERE

mi	è piaciuto	
ti	è piaciuta	ci
gli	sono piaciuti	vi
le	sono piaciute	gli

Racconto la mia storia

LUCA RACCONTA...

Sono nato a Roma nel 1960. Sono rimasto a Roma fino a venticinque anni; ho finito gli studi e mi sono laureato.
Ho fatto il militare a Trento nel 1983. Dopo il militare e dopo la laurea ho cercato un lavoro. L'ho trovato a Bologna in un'azienda elettronica. Così, nel 1985 mi sono trasferito a Bologna.
Due anni dopo ho incontrato Marina. Ci siamo sposati nel 1990, dopo tre anni di fidanzamento. Dopo due anni sono nati i miei figli.

MARINA RACCONTA...

Sono nata a Modena nel 1964 e ho vissuto in questa città fino al matrimonio.
Ho cominciato a lavorare come insegnante nel 1987 e ho trovato lavoro a Bologna. Qui ho conosciuto mio marito. Ho fatto la pendolare fra Modena e Bologna per tre anni.
Dopo il matrimonio mi sono trasferita a Bologna. Nel 1992 ho avuto due gemelli e ho smesso di lavorare.

il pendolare

i gemelli

Luca si è sposato.

Marina si è sposata.

Luca e Marina si sono sposati.

Luca si è trasferito.

Marina si è trasferita.

Luca e Marina si sono trasferiti.

a) Questi sono le date e i fatti più importanti delle storie di Luca e di Marina.
Prova a raccontare la loro storia.

Luca	Marina
1960, Roma.	1964, Modena.
fino al 1985, Roma.	1987, lavoro, Bologna.
1983, militare, Trento.	1987, Luca.
1985, lavoro, Bologna.	1990, matrimonio.
1987, Marina.	1992, figli.
1990, matrimonio.	
1992, figli.	

Luca è nato a Roma nel 1960.
È rimasto a Roma fino al 1965.

....

b) Ecco ora la storia di Aziz. Segna di fianco le date e i fatti più importanti della sua vita.

Aziz è nato a Casablanca nel 1965. In questa città ha frequentato le scuole, ha studiato legge e si è laureato nel 1992. Nel 1993 è andato a Parigi da suo fratello. È rimasto a Parigi sei mesi. Nel 1994 è venuto in Italia, a Milano.

1965, Casablanca.

....

....

....

c) Prova a raccontare la storia di Mary a partire dalle date e dai fatti più importanti della sua vita.

- Mary, Manila (Filippine) 1960
- diploma di infermiera, 1980
- lavoro in ospedale, 1982
- matrimonio, 1984
- figlio, 1985
- in Italia, 1988
- lavoro, Roma, 1988

2 LA TUA STORIA.

a) E tu? Racconta in breve la tua storia:

- dove sei nato/a
- dove hai studiato
- che scuole hai frequentato
- se hai lavorato nel tuo paese e che lavoro hai fatto
- quando sei arrivato/a in Italia
- con chi sei venuto/a
- in quale città sei andato/a
- se hai cambiato lavoro
- se hai cambiato città

b) Rivolgi le stesse domande a un compagno, segna le sue risposte e poi racconta la sua storia.

c) Ascolta la storia di Li Li e di Suni. Numera le foto in ordine cronologico e poi prova a raccontare.

3 PRIMA... POI...

a) Forma una frase al passato con «prima» e «poi», come nell'esempio:

(arrivare, marito – arrivare, moglie e figli) –
Prima è arrivato il marito, poi sono arrivati la moglie e i figli.

1. venire, genitori
2. (io) studiare, italiano
3. Said, fare documenti
4. (Noi) frequentare, scuola elementare
5. (io) prendere, treno
6. (loro) salutare, parenti
7. (voi) rinnovare, passaporto
8. (Li Li) fare, cameriera

– arrivare, figli
– cercare, lavoro
– portare qui, famiglia
– fare, scuola media
– prendere, aereo
– partire
– fare un viaggio
– fare, baby sitter

b) Numera i disegni in ordine cronologico e poi racconta.

Chiara ....

Said ....

4 DUE ITALIANI IN SVIZZERA

Antonio e Chiara, emigrati italiani in Svizzera raccontano la loro storia.

Sono nato in un paese in provincia di Foggia, in Puglia, in una famiglia molto numerosa: sette figli e i genitori.
Ho fatto le scuole elementari; poi ho cominciato subito a lavorare in campagna con mio padre e i miei fratelli.
Nel 1960 mio fratello maggiore è andato in Svizzera a lavorare come cameriere in un bar.
Dopo due anni è tornato a trovarci e io sono partito insieme a lui per la Svizzera. Ho trovato lavoro come cameriere in un albergo.
Sono in Svizzera da più di trent'anni.
Ho aperto un ristorante; i miei figli sono nati qui; ormai la mia vita è qui e torno in Italia solo per le ferie.

Ho conosciuto mio marito venticinque anni fa. Siamo dello stesso paese. È tornato dalla Svizzera per le ferie e ci siamo incontrati.
Mi è piaciuto subito e ci siamo fidanzati.
Per due anni siamo stati fidanzati, poi abbiamo deciso di sposarci.
Dopo il matrimonio l'ho seguito in Svizzera.
I primi tempi sono stati molto difficili, mi sono abituata piano piano.
Adesso questo è il mio paese, qui sono nati i miei figli, hanno studiato, hanno la loro vita, il loro lavoro...

a) Prova a ricostruire la loro storia rispondendo alle domande.

– Che lavoro ha fatto Antonio da piccolo?
– Chi è partito per primo per la Svizzera?
– Che lavoro ha trovato Antonio?
– Da quanti anni è emigrato?
– Adesso che lavoro fa?
– Pensa di tornare in Italia?

– Chiara, dove ha conosciuto Antonio?
– Quando è partita per la Svizzera?
– Come sono stati i primi tempi dell'emigrazione?
– Pensa di tornare in Italia?

5 BREVI BIOGRAFIE DI DUE FAMOSI REGISTI ITALIANI

FEDERICO FELLINI

Federico Fellini è nato a Rimini nel 1920, ma ha vissuto a Roma quasi tutta la sua vita.

Tra i suoi primi film ci sono: *La strada* e *Le notti di Cabiria*.

È diventato famoso dopo il 1960, quando ha girato *La dolce vita* e soprattutto nel 1963 con il film *Otto e mezzo*, il suo capolavoro.

Fellini è riuscito a raccontare nei suoi film l'Italia di quegli anni, i sogni, le paure, i desideri…

Le immagini dei suoi film sono diventate le immagini dell'Italia di quel periodo.

Dieci anni dopo ha diretto *Amarcord* e in seguito molti altri film di successo.

In molti suoi film ha recitato anche Giulietta Masina, sua moglie e compagna di lavoro.

Nel 1993 ha ricevuto il premio Oscar alla carriera.

È morto a Roma nell'ottobre del 1993.

NANNI MORETTI

È un giovane regista di successo.

È nato a Brunico in provincia di Bolzano il 19 agosto 1953. È sempre vissuto a Roma.

Subito dopo la scuola superiore ha cercato di entrare nel mondo del cinema come attore in alcuni film.

Nel 1976 ha fatto il regista del suo primo film: *Io sono un autarchico*.

Nel 1978 ha diretto il secondo film: Ecce bombo.

Nel 1981 ha vinto il Leone d'oro alla mostra del cinema di Venezia con il film *Sogni d'oro*.

In altri suoi film ha rappresentato in modo ironico e critico l'Italia di questi anni.

Nel film *Caro diario* del 1993 ha raccontato episodi e fatti reali della sua vita.

a) Completa la tabella.

Federico Fellini

È nato a ...., nel ....
Il suo capolavoro: ....
Nel .... ha vinto il premio Oscar alla carriera.
Sua moglie .... ha recitato in
molti suoi film.
È morto a Roma nel ....

Nanni Moretti

È nato a ...., nel ....
Ha fatto il suo primo film nel ....
Ha vinto il Leone d'oro di Venezia nel ....
In un film del 1993 ha raccontato episodi e fatti
della sua vita.
Titolo di questo film: ....

6

Avete visto *La dolce vita* di Fellini?

Sì, l'ho visto molti anni fa.

Io non l'ho mai visto.

Li ho visti tutti, i film di Fellini.

Hai visto il film *Otto e mezzo* di Fellini?	Sì, **l'ho visto** anni fa.
	No, non l'ho visto.
Hai visto i film di Fellini?	Sì, **li ho visti** tutti.
	No, non li ho mai visti.
Hai visto la partita alla TV?	Sì, **l'ho vista** ieri sera.
	No, non l'ho vista.
Hai visto le fotografie del viaggio?	Sì, **le ho viste.**
	No, non le ho viste.

a) Abbina la domanda alla risposta.

1. La scuola?
2. Il passaporto?
3. Il lavoro?
4. Mia moglie?
5. Mio marito?
6. L'italiano?
7. I miei figli?
8. Le mie serate?
9. Luca e Lucia?

L'ho trovato da poco.
L'ho conosciuta cinque anni fa.
L'ho finita a diciotto anni.
Li ho accompagnati a scuola.
L'ho rinnovato al mio consolato.
L'ho sposato dieci anni fa.
L'ho studiato un po' prima di partire.
Li ho conosciuti in montagna.
Le ho passate in casa davanti alla TV.

b) Completa le frasi con i pronomi lo (l'), la (l'), li, le.

1. Ho cercato lavoro, ma non .... ho trovato.

2. Ho scritto la domanda e .... ho consegnata in segreteria.

3. Hai fatto le fotocopie? .... hai date agli studenti?

4. Carlos ha preparato i documenti e .... ha portati alla Questura.

5. Mary ha fatto dei dolci e .... ha regalati a tutti.

6. Ho incontrato Lucia e .... ho salutata.

7. Ho incontrato Lucia e Sara e .... ho salutate.

8. Abbiamo telefonato a Mario e Lucia e .... abbiamo invitati a cena.

12

Sono partito	Sono dovuto partire
Sono andati in Questura	Sono dovuti andare in Questura
Ha lavorato tutto il giorno	Ha dovuto lavorare tutto il giorno
Abbiamo firmato il contratto	Abbiamo dovuto firmare il contratto

a) Trasforma le frasi dal presente al passato, come negli esempi:

Sono partito – Sono dovuto partire
Hanno firmato il documento – Hanno dovuto firmare il documento

1. Dobbiamo rinnovare il permesso di soggiorno.
2. Carlos deve cercare un altro lavoro.
3. Maria deve andare a Roma.
4. Noi dobbiamo uscire alle cinque.
5. Devo cambiare turno di lavoro.
6. Dovete andare al Consolato.
7. Loro devono presentarsi in Questura.
8. Che cosa devi fare di urgente?

b) Abbina le domande alle risposte.

1. Perché non sei potuto uscire ieri sera?
2. Perché Said non ha potuto portare qui sua moglie?
3. Perché voi non avete potuto cambiare lavoro?
4. Perché Sara non ha potuto iscriversi all'Università?
5. Perché i tuoi amici non sono potuti venire?

☐ Perché non ha fatto tutti i documenti.
☐ Perché la loro macchina si è rotta.
☐ Perché i miei non mi hanno dato il permesso.
☐ Perché non abbiamo ottenuto l'autorizzazione al nuovo lavoro.
☐ Perché non ha tradotto il suo diploma di scuola superiore.

8 IL VIAGGIO DI ABENA

Finalmente è arrivata la lettera!
Mio padre ha scritto che dobbiamo partire. La nonna si è messa subito a
piangere e mio fratello si è quasi ammalato per l'emozione.
Io e la mamma siamo andate a comprare dei vestiti pesanti, le scarpe
nuove e una grande valigia.
Abbiamo salutato tutti i parenti e siamo partiti giovedì all'alba.
Abbiamo preso due autobus: uno fino a Kumasi e uno da Kumasi ad Accra.
Da Accra abbiamo preso l'aereo per Roma.
Da Roma abbiamo preso il treno per Brescia. Alla stazione di Brescia è
venuto a prenderci mio padre.
Abbiamo preso un altro autobus, quasi vuoto e siamo andati nella nostra
nuova casa.

a) Racconta il tuo viaggio d'arrivo in Italia.
   Con chi sei partito?
   Che cosa hai fatto prima di partire?
   Che mezzi di trasporto hai preso?

Quanti aerei ha preso Abena?	**Ne** ha preso uno: da Accra a Roma.
Quanti autobus ha preso?	**Ne** ha presi tre: due in Ghana e uno in Italia.
Quanti treni ha preso?	**Ne** ha preso uno: da Roma a Modena.
Quanti mezzi ha cambiato?	**Ne** ha cambiati cinque.
Quanti libri hai letto?	**Ne** ho letto uno.
	Ne ho letti molti.
	Ne ho letti due o tre.
	Non **ne** ho letto nessuno.

b) Abbina la domanda con la risposta e completa con il participio passato dei verbi, come
   nell'esempio.

1. Quante città hai visitato?	Ne ho studiat_ due: l'arabo e il francese.
2. Quanti lavori hai cambiato?	Ne ho guadagnat_ pochi.
3. Quante lingue hai studiato?	Ne ho visitat_ molte.
4. Quanti soldi hai guadagnato?	Ne ho scritt_ moltissime.
5. Quanti amici hai conosciuto?	Ne ho cambiat_ sei.
6. Quante lettere hai scritto?	Ne ho conosciut_ molti.

c) Ora rispondi alle domande precedenti come vuoi tu.

a) Abbina l'annuncio con il biglietto di risposta, come nell'esempio.

12

*Carla e Massimo
annunciano
il loro matrimonio*

Verona, 2 marzo

1

*Congratulazioni e auguri
alla mamma e ai piccoli
(anche al papà)*

Lina

A

*Marina e Luca Bianchi
annunciano
con grande gioia
la nascita di
Francesco e Lara
Bologna,
3 dicembre '94*

2

*Auguri vivissimi
di felicità e
di una lunga
vita insieme*

Gli zii

B

*Ce l'ho fatta! Mi sono
finalmente laureato.
Vi aspetto sabato sera
alle 21 per brindare
con voi*

Carlo

3

*Grazie dell'invito!
Posso portare due
amici?*

G.

C

*Manuela invita i
suoi amici alla
sua festa di
compleanno
Domenica, 10 aprile
ore 15 circa*

4

*Complimenti
Dottore!
Ci sarò,*

Sandro

D

b) Scrivi un biglietto per fare gli auguri in queste occasioni:
- il compleanno
- il matrimonio di un amico
- la nascita di un bambino

Hai scritto la lettera a Paolo?

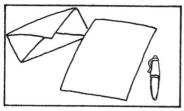  

No, **non** l'ho **ancora** scritta. Sì, l'ho **appena** scritta. Sì, l'ho **già** spedita.

È nato il bambino di Maria?

No, **non** è **ancora** nato. Sì, è **appena** nato. Sì, è **già** nato. È nato due giorni fa.

a) Rispondi alle domande nei tre modi possibili, usando «non ancora», «appena», «già».

Hai pagato l'affitto?   No, non l'ho ancora pagato.
Sì, l'ho appena pagato.
Sì, l'ho già pagato.

1. Avete pagato le bollette?
2. Hai rinnovato i documenti?
3. Hai fatto la patente?
4. Said ha aggiustato la macchina?
5. Hai finito il corso?
6. Avete preso il caffè.?
7. Hai visto il film di Moretti?
8. I tuoi genitori sono arrivati?

---

11 PRO-MEMORIA PRIMA DELLA PARTENZA.

a) Stai partendo per un viaggio. Hai fatto queste cose?
Fai le domande a un compagno, poi rispondi alle sue domande, come negli esempi.

Hai preso i documenti?

Sì, li ho presi.
No, non li ho presi.

– prendere i documenti
– comprare il biglietto
– fare la prenotazione
– comprare la valigia
– chiudere il gas

– pagare le bollette
– mettere la segreteria telefonica
– annaffiare i fiori
– prendere i soldi

12

Pap racconta...

Vengo dal Senegal. Sono nato a Dakar nel 1957.
Ho fatto il venditore per anni, poi ho preferito smettere.
Vi racconto come è successo.
Sono stato il primo della mia famiglia a vendere.
Ho imparato in Costa d'Avorio ad Abidjan, dove ho venduto l'avorio ai turisti italiani e francesi.

1979, novembre. Un giorno ho preso il treno con in tasca 30.000 franchi (circa 120.000 lire) e sono andato in Costa d'Avorio.
Dal Senegal alla Costa d'Avorio, come tanti giovani senegalesi; poi sono venuto in Italia.
21 luglio 1984, sono arrivato a Riccione...

(da: P. Khouma, O. Pivetta,
Io venditore di elefanti, Garzanti)

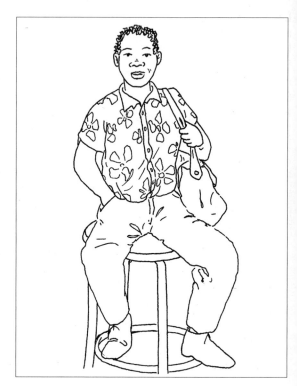

Charito racconta...

Sono a Milano da quasi due anni.
Prima sono stata a Pisa per un anno e tre mesi; poi ho cambiato lavoro e sono venuta qui a Roma.
Ho fatto l'insegnante nelle Filippine per diciassette anni; poi sono partita per raggiungere mia sorella che abita in Italia da dieci anni.
Ho lasciato il mio paese per motivi economici: per guadagnare un po' di soldi, costruire una casa, comprare un negozio...
I sogni sono tanti...
Quando sono arrivata in Italia è stato duro abituarmi; ho pianto, sono dimagrita, ho passato tante notti in bianco.
Anche ora la nostalgia è troppo forte...
Mi manca la mia famiglia.

(da: I. Matteucci, *In casa d'altri*)

L'EMIGRAZIONE ITALIANA ALL'ESTERO

Dalla fine dell'800 fino a oggi, circa trenta milioni di italiani sono emigrati per cercare lavoro e per migliorare la loro vita.

La presenza di persone di origine italiana nel mondo è perciò molto rilevante.

Sono poco più di cinque milioni i cittadini italiani che vivono all'estero, ma molti di più sono gli americani di origine italiana, gli australiani di origine italiana, i francesi di origine italiana...

Sono i figli e i nipoti degli emigrati che hanno da tempo la cittadinanza del paese in cui sono nati.

Fino a circa il 1925 gli emigrati italiani partivano soprattutto per i paesi al di là dell'oceano: gli Stati Uniti, l'Australia, il Brasile, il Canada, l'Argentina.

Dopo la seconda guerra mondiale (dal 1945) invece, molti italiani sono andati a lavorare nei paesi europei più industrializzati: la Germania, la Svizzera, il Belgio, la Francia...

Dal 1975, per la prima volta, il numero dei lavoratori stranieri che arrivavano in Italia ha superato il numero degli italiani che partono per l'estero.

E così l'Italia, da paese di emigrati, è diventata un paese di immigrati che ospita più di un milione di lavoratori stranieri.

CITTADINI ITALIANI ALL'ESTERO				
Area geografica	1975	1980	1985	1986/7
Europa	2.352.148	2.243.708	2.169.811	2.192.411
Asia	18.537	22.701	19.479	15.827
Africa	106.061	110.559	95.333	84.843
America	2.445.870	2.340.959	2.139.266	2.244.251
nord	469.431	364.569	356.650	432.254
centro	9.440	10.108	11.781	13.909
sud	1.966.999	1.966.282	1.770.835	1.798.088
Oceania	303.803	450.582	544.124	587.295
Totale	5.226.419	5.168.509	4.968.013	5.124.627

Fonte: *XXI Secolo*, anno II, numero 2, dicembre 1990 - Fondazione G. Agnelli, Torino.

I pronomi diretti con il passato prossimo

L'ho visto – L'ho vista – Li ho visti – Le ho viste

L'ho incontrato – Li ho incontrati

L'ho incontrata – Le ho incontrate

Il pronome **NE** con il passato prossimo

Ne ho letto uno – Non ne ho letto nessuno

Ne ho letti molti – Ne ho letti pochi

Ne ho lette due, tre... – Ne ho lette molte

GIÀ – APPENA – NON ANCORA con il passato prossimo

L'ho già fatto

L'ho appena fatto

Non l'ho ancora fatto

Quand'ero piccolo

1 DALL'ALBUM DI FOTO DI SIMONE

Qui avevo due anni, ero un po' grassottello, ero al mare con mia madre e mio fratello.

Qui avevo cinque anni, facevo la scuola materna ed ero più magro.

Questi erano i miei compagni della scuola elementare. Facevo la quinta, era l'ultimo anno di scuola.

A tredici anni, ogni anno andavo in montagna, con i miei familiari, anche se non mi piaceva. Mio fratello invece si divertiva molto.

Qui avevo diciannove anni; facevo il militare in marina, sulla nave Intrepido.

Il mio primo lavoro. Lavoravo in un'agenzia di viaggi; questi erano i miei colleghi.

a) Numera in ordine cronologico le frasi che si riferiscono alla vita di Simone.

- ☐ Facevo il militare in marina.
- ☐ Ero alla scuola materna, avevo cinque anni.
- ☐ Avevo due anni, ero al mare con mia madre.
- ☐ Era l'ultimo anno della scuola elementare.
- ☐ Lavoravo in un'agenzia di viaggi.
- ☐ A tredici anni: andavo in montagna ogni anno in agosto.

a) Dov'erano queste persone nel 1991? Rispondi come nell'esempio:
(Io, Roma, Italia) – Io ero a Roma.

1. Luca, Venezia.
2. Noi, Bologna.
3. Tu, Casablanca, Marocco.
4. Li Li, Shangai, Cina.
5. Pap e Mamadu, Dakar, Senegal.
6. Voi, Lima, Perù.

Attenzione! Imperfetto dei verbi «essere» e «fare»

ero	facevo
eri	facevi
era	faceva
eravamo	facevamo
eravate	facevate
erano	facevano

---

b) Completa con i verbi «essere» e «fare» all'imperfetto.

(Io, piccolo, scuola materna) – Ero piccolo; facevo la scuola materna.

1. Io, nel mio paese, scuola superiore.
2. Andrea, un bambino, scuola elementare.
3. Noi, a Roma, corso professionale.
4. Maria, nel suo paese, Università.
5. Mario e Carlo, insieme, militare.
6. Tu, a Londra, corso di inglese.

Avevo un lavoro statale, ma guadagnavo poco.

Volevo fare un'esperienza nuova, volevo conoscere un altro mondo..

Facevo il commerciante, ma il negozio non andava bene, avevo pochi clienti.

Perché avete lasciato il vostro paese e siete venuti qui in Italia?

I miei genitori erano qui, io volevo stare con loro.

Studiavo ancora, ma c'erano poche possibilità di lavoro.

Volevo fare l'Università in Italia.

lavor**avo**	viv**evo**	dorm**ivo**
lavor**avi**	viv**evi**	dorm**ivi**
lavor**ava**	viv**eva**	dorm**iva**
lavor**avamo**	viv**evamo**	dorm**ivamo**
lavor**avate**	viv**evate**	dorm**ivate**
lavor**avano**	viv**evano**	dorm**ivano**

Said racconta...

Quando ero nel mio paese studiavo ancora. Andavo ogni giorno all'Università, facevo agraria. La sera uscivo con gli amici, mi divertivo, stavo in compagnia.

La mia vita era più facile di adesso, senza responsabilità, senza pensieri, ma non vedevo un futuro.

Tanti amici più grandi di me erano andati via, in Francia, in Belgio, in Italia, in cerca di fortuna, di libertà, di lavoro. Così anch'io sognavo sempre di partire.

I miei genitori non volevano lasciarmi partire: io ero il maggiore, dovevo stare vicino a loro. Due anni fa sono partito.

a) E tu, perché sei partito dal tuo paese?

Che cosa facevi prima di partire? Lavoravi? Studiavi? Com'era la tua vita?

b) Fai le stesse domande a un compagno e poi racconta brevemente la sua storia.

4 ADESSO... PRIMA...

a) Continua come nell'esempio:

(Adesso abito a Roma) – Prima abitavo a Torino.

1. Adesso lavoro in Comune.	– banca
2. Adesso ho tanti amici.	– pochi amici
3. Adesso capisco molte parole.	– pochissime parole
4. Adesso abito con due amiche.	– da sola
5. Adesso esco ogni sabato.	– tutte le sere
6. Adesso parlo con tutti.	– poche persone
7. Adesso guadagno di più.	– di meno
8. Adesso scrivo a casa ogni mese.	– ogni settimana

b) Trasforma le frasi precedenti dalla prima persona singolare alla prima persona plurale.

Adesso lavoriamo in Comune.   Prima lavoravamo in banca.

c) Scrivi i verbi all'imperfetto.

Karol racconta...

Quando ero piccolo (abitare) ....in campagna.

(Giocare) ....con i miei cugini in cortile, liberamente. (Andare) ....nei

campi, (prendere) ....la frutta dagli alberi, (correre) ....con il mio cane.

D'estate (andare) ....al fiume, (pescare) ....e (nuotare) .... fino a

tardi. D'inverno (costruire) .... le slitte per andare sulla neve e sul ghiaccio.

d) Trasforma la storia dell'esercizio c) in quella di Tania e successivamente in quella di Karol e di Tania.

Quand'era piccola Tania abitava...
Quand'erano piccoli Karol e Tania abitavano...

e) Scrivi i verbi all'imperfetto.

Mia madre (essere) ....una grande cuoca, (avere) ....la passione della cucina.

Nei giorni di festa (preparare) ....dei piatti speciali. (Fare) ....i tortellini con il ripieno di carne, l'arrosto al forno con le patate e poi (cucinare) ....delle stupende fritelle con il miele e la farina di castagne.

Dopo la messa si (chiudere) ....subito in cucina e (uscire) ....solo quando tutto ....pronto.

(Essere) ....orgogliosa dei suoi piatti e (aspettare) ....con ansia i nostri complimenti.

Adesso racconta la storia al plurale.

Mia madre e mia nonna erano delle grandi cuoche, avevano la passione della cucina.
Nei giorni di festa…

5 LE PAURE DELL'INFANZIA

Quand'ero piccola
dormivo sempre
al lume di una lampada
per la paura della solitudine…

(da una canzone di Mina)

Avevo paura del buio, dei rumori strani, dei temporali…

Che paure aveva da piccolo?

a) E tu, che paura avevi da piccolo?
Quali erano i personaggi fantastici che ti facevano paura?

6

Il tempo imperfetto si usa per raccontare, come nel testo riprodotto qui sotto.

Passavamo sempre l'estate in montagna. Prendevamo una casa in affitto per tre mesi, da luglio a settembre. Di solito, erano case lontane dall'abitato e mio padre e i miei fratelli andavano ogni giorno, col sacco da montagna sulle spalle, a fare la spesa in paese.
Non c'era sorta di divertimenti o di distrazioni.
Passavamo la sera in casa, attorno alla tavola, noi fratelli e mia madre.

(da N. Ginzburg, Lessico familiare)

> Il tempo imperfetto si usa anche per descrivere cose, persone, situazioni, come nel testo riprodotto qui sotto.

La fidanzata di Valentino.

Questa nuova fidanzata era qualcosa che non avevamo potuto immaginare.
Portava una lunga pelliccia di martora e delle scarpe piatte con la suola di gomma ed era piccola e grassa.
Aveva gli occhiali cerchiati di tartaruga e, dietro gli occhiali, ci fissava con gli occhi severi e rotondi.
In testa aveva un cappello nero tutto schiacciato da una parte; dove non c'era il cappello si vedevano i capelli neri striati di grigio, ondulati e spettinati.
Doveva avere dieci anni più di Valentino.

(da N. Ginzburg, *Valentino*)

a) Abbina le descrizioni ai disegni e poi trasforma le descrizioni dei personaggi dal tempo presente all'imperfetto.

Aveva un grande naso...

1. Ha un grande naso, una pancia enorme; la sua voce è bassa e profonda; indossa un cappello a cilindro.
2. È una bambina graziosa e gentile; si veste sempre di rosso, con un cappuccio rosso in testa; per questo tutti la chiamano Cappuccetto Rosso.
3. C'è un drago gigantesco; ha gli occhi rossi e sputa fuoco dalla bocca.
4. Cammina a fatica, lentamente; si appoggia a un bastone; ha un viso rugoso e uno sguardo dolce.
5. Ha un vestito di tutti i colori e un cappellino in testa. Sul viso ha una maschera nera che copre gli occhi.

7 Un nuovo eroe

a) Inserisci nel testo i verbi che trovi in fondo alla pagina.

Nel mese di giugno del 1990 in Italia tutto ....bloccato.

Infatti si ....i campionati mondiali di calcio Italia '90.

Molte persone non ....più la sera per stare davanti alla televisone a vedere le partite di calcio.

Alcuni avevano comprato un videoregistratore per registrare le partite che non potevano vedere in diretta.

Quando l'Italia ha cominciato a vincere, tutti ....di gioia per le strade.

In Italia .... un nuovo eroe: Totò Schillaci e ....un nuovo nemico: Diego Armando Maradona che ....nella squadra argentina.

Molti tifosi ....quando l'Argentina conquistava la vittoria.

(giocavano – uscivano – era – gridavano – piangevano – giocava – c'era – c'era)

8 C'ERA... UNA VOLTA
C'ERANO... UNA VOLTA

Ecco alcune immagini di Milano com'era una volta.

C'erano i cavalli... c'erano le carrozze.
C'era molta gente che passeggiava, c'era il venditore di arance, c'era la venditrice di uova, c'erano i lustrascarpe, c'era il venditore di ghiaccio...
C'erano i panni stesi alle finestre.
C'erano i navigli scoperti e navigabili.
C'erano le lavandaie che lavavano i panni nel Naviglio.
C'erano le bancarelle in piazza Duomo.

a) Prova a descrivere le fotografie e a immaginare com'era la vita in quel tempo.

b) Completa le frasi con «c'era» o «c'erano».

1. .... tanti bambini sulla piazza.
2. .... un cane e un gatto che correvano.
3. .... dei palazzi antichi che non ci sono più.
4. .... un cavallo e ....tre carrozze.
5. .... una chiesa al posto di questa banca.
6. ....i canali, ora ci sono le strade.
7. .... un giardino al posto della piazza.
8. ....due torri, ora non ci sono più.

9   PRIMA C'ERA... ORA NON C'È PIÙ. PRIMA C'ERANO... ORA NON CI SONO PIÙ.

10

I mestieri scomparsi. Ci sono molti lavori che si facevano un tempo e che ora non si fanno più. Eccone alcuni…

C'era lo spazzacamino; passava di casa in casa e puliva i camini delle case.

Quando non c'erano i frigoriferi c'era il venditore di ghiaccio.

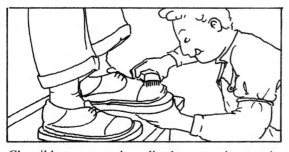

C'era il lustrascarpe che puliva le scarpe ai passanti.

C'erano l'ombrellaio che aggiustava gli ombrelli e l'arrotino che affilava le forbici e i coltelli.

Mentre lavavo i piatti, mio marito e i bambini
guardavano la televisione.

Mentre leggevo un libro, Maria prendeva il
sole.

a) Che cosa stavano facendo queste persone nello stesso momento? Usa il verbo imperfetto,
come nell'esempio:
(Carlo, dormire – Luisa, cucinare) – Mentre Carlo dormiva, Luisa cucinava.

1. Voi, riposare – noi, fare ginnastica.
2. Tu, nuotare – io, giocare a tennis.
3. Mia madre, dormire – io, pulire la casa.
4. Mio figlio, fare i compiti – mio marito, studiare inglese.
5. Il cuoco, cucinare – l'aiuto-cuoco, preparare le verdure.
6. Tu, perdere tempo – io, finire il lavoro.
7. I miei amici, guardare la televisione – io, telefonare.
8. Io, venire da te – tu, uscire di casa.

b) Guarda i disegni e scrivi che cosa facevano nello stesso tempo queste persone, usando «mentre»
con l'imperfetto.

LUCA e CARLOS

SARA

MARINA

....

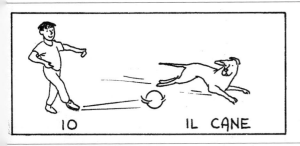

IO   IL CANE

NOI   VOI

....

12 C'ERANO TANTI INVITATI?

MONICA	Ciao Giulia. Allora, com'è stato il matrimonio di tua cugina? Com'era vestita?
GIULIA	È stata una cerimonia commovente. La sposa era bellissima, molto emozionata; aveva gli occhi lucidi. Indossava un vestito lungo di raso bianco con piccole rose ricamate e aveva i capelli raccolti e un lungo velo.
MONICA	E lo sposo?
GIULIA	Era elegante, classico, in grigio scuro. Era commosso anche lui.
MONICA	C'erano tanti invitati?
GIULIA	Sì, c'erano più di cento persone, tra amici e parenti.
MONICA	Peccato per il tempo!
GIULIA	Davvero! Pioveva e faceva un freddo cane. Io, con il mio vestito di seta leggero, gelavo.
MONICA	E adesso dove sono gli sposi?
GIULIA	Partivano subito per la luna di miele; sono andati alle Maldive, al caldo.
MONICA	Beati loro!

a) Segna la risposta giusta.

La sposa era
- ☐ fredda.
- ☐ insensibile.
- ☐ emozionata.

Anche lo sposo era
- ☐ rigido.
- ☐ commosso.
- ☐ arrabbiato.

Gli sposi partivano per
- ☐ la luna di miele.
- ☐ il fine settimana.
- ☐ un viaggio di lavoro.

Il tempo era
- ☐ brutto.
- ☐ caldo.
- ☐ bello.

C'erano
- ☐ più di 80 persone.
- ☐ più di 100 persone.
- ☐ più di 50 persone.

b) Ascolta la telefonata fra le due amiche e poi rispondi alle domande.

Nadia alla festa
- ☐ si è divertita.
- ☐ si è annoiata.
- ☐ si è addormentata.

Nadia conosceva
- ☐ tutti.
- ☐ nessuno.
- ☐ meno della metà.

Marco era con una ragazza
- ☐ alta con i capelli rossi.
- ☐ bassa e bionda.
- ☐ alta con i capelli neri.

C'erano circa
- ☐ venti persone.
- ☐ cinquanta persone.
- ☐ trenta persone.

Marta era un po' triste perché
- ☐ parte domani.
- ☐ è senza lavoro.
- ☐ non sta bene.

In Italia la scuola dell'obbligo dura otto anni: cinque anni di scuola elementare e tre anni di scuola media. I bambini iniziano la scuola elementare a sei anni.

I più piccoli, prima della scuola elementare, possono frequentare le scuole dell'infanzia: l'asilo nido per i bambini che hanno da tre mesi a tre anni e la scuola materna per chi ha più di tre anni.

La maggior parte dei bambini italiani (circa il 95%) frequenta la scuola materna (pubblica - comunale o statale - oppure privata). In Italia, quindi, la vita scolastica, per la maggior parte dei bambini, inizia con la scuola materna.

Dopo la scuola media, i ragazzi e le loro famiglie possono scegliere il tipo di scuola superiore. Ci sono i licei (classico, scientifico, artistico che durano quattro o cinque anni), rilasciano un diploma di «maturità» e preparano all'Università. Ci sono gli istituti tecnici e professionali, i corsi per la formazione professionale, che rilasciano un diploma professionale e che hanno una durata diversa.

Dopo il diploma chi vuole continuare gli studi si iscrive all'Università. La durata degli studi universitari varia secondo la facoltà; in genere dura quattro anni.

Da poco tempo sono stati istituiti anche i corsi di laurea «brevi»: durano due anni e rilasciano un diploma universitario.

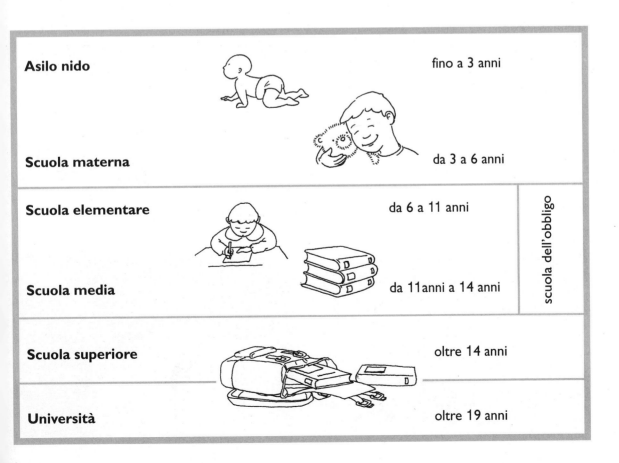

Asilo nido	fino a 3 anni
Scuola materna	da 3 a 6 anni
Scuola elementare	da 6 a 11 anni
Scuola media	da 11 anni a 14 anni
Scuola superiore	oltre 14 anni
Università	oltre 19 anni

scuola dell'obbligo

13

Il numero dei bambini sta diminuendo e, di conseguenza, calano anche le classi, soprattutto nella scuola media inferiore (nel 1993 -4,3% rispetto all'anno precedente).

In un anno, secondo le statistiche dell'Istat

Culle vuote, aule deserte: "spariti" 160 mila alunni

I dati sul '92–93: calo dalle elementari alle superiori. Più bambini all'asilo Cresce anche il numero degli studenti universitari

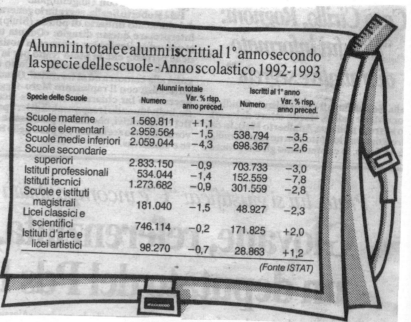

	Alunni in totale		Iscritti al 1° anno	
Alunni in totale e alunni iscritti al 1° anno secondo la specie delle scuole - Anno scolastico 1992-1993				
Specie delle Scuole	Numero	Var. % risp. anno preced.	Numero	Var. % risp. anno preced.
Scuole materne	1.569.811	+1,1	–	–
Scuole elementari	2.959.564	−1,5		
Scuole medie inferiori	2.059.044	−4,3	538.794	−3,5
Scuole secondarie superiori	2.833.150	−0,9	698.367	−2,6
Istituti professionali	534.044	−1,4	703.733	−3,0
Istituti tecnici	1.273.682	−0,9	152.559	−7,8
Scuole e istituti magistrali	181.040	−1,5	301.559	−2,8
Licei classici e scientifici	746.114	−0,2	48.927	−2,3
Istituti d'arte e licei artistici	98.270	−0,7	171.825	+2,0
			28.863	+1,2

(Fonte ISTAT)

La Repubblica,
13 settembre 1993

Una ricerca internazionale sulla qualità della scuola nel mondo, promossa dalla rivista americana *Newsweek*, ha assegnato un premio Oscar all'Italia per la scuola dei piccoli (scuola materna e asili nido).

Viva l'asilo made in Italy

Dall'America un oscar al Belpaese per le migliori scuole materne

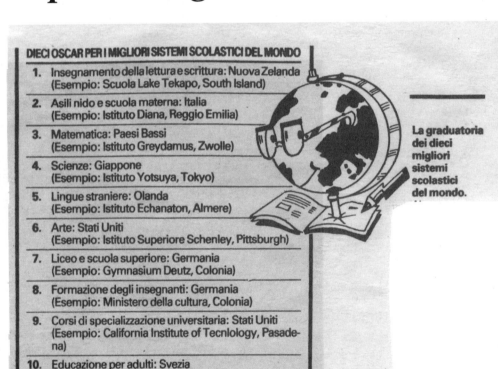

DIECI OSCAR PER I MIGLIORI SISTEMI SCOLASTICI DEL MONDO

1. Insegnamento della lettura e scrittura: Nuova Zelanda
   (Esempio: Scuola Lake Tekapo, South Island)

2. Asili nido e scuola materna: Italia
   (Esempio: Istituto Diana, Reggio Emilia)

3. Matematica: Paesi Bassi
   (Esempio: Istituto Greydamus, Zwolle)

4. Scienze: Giappone
   (Esempio: Istituto Yotsuya, Tokyo)

5. Lingue straniere: Olanda
   (Esempio: Istituto Echanaton, Almere)

6. Arte: Stati Uniti
   (Esempio: Istituto Superiore Schenley, Pittsburgh)

7. Liceo e scuola superiore: Germania
   (Esempio: Gymnasium Deutz, Colonia)

8. Formazione degli insegnanti: Germania
   (Esempio: Ministero della cultura, Colonia)

9. Corsi di specializzazione universitaria: Stati Uniti
   (Esempio: California Institute of Tecnlology, Pasadena)

10. Educazione per adulti: Svezia
    (Esempio: Centro Amu, Stoccolma)

La graduatoria dei dieci migliori sistemi scolastici del mondo.

La Repubblica, 26 novembre 1991

Indicativo imperfetto

I verbi regolari

Studiare	Leggere	Partire
studiavo	leggevo	partivo
studiavi	leggevi	partivi
studiava	leggeva	partiva
studiavamo	leggevamo	partivamo
studiavate	leggevate	partivate
studiavano	leggevano	partivano

Alcuni verbi irregolari

Essere	Fare
ero	facevo
eri	facevi
era	faceva
eravamo	facevamo
eravate	facevate
erano	facevano

C'era...
C'era un ragazzo...
C'era un albero...

C'erano...
C'erano due ragazzi...
C'erano tanti alberi...

Uso di MENTRE con il verbo imperfetto

Mentre Maria studiava, Carla chiacchierava.
Mentre leggevo, i bambini giocavano in cortile.

Che tempo fa?

1 NOTIZIE DALLA STRADA

Un incidente a causa della nebbia.

Un incidente questa mattina sull'autostrada del Sole, vicino al casello di Piacenza, ha coinvolto più di sessanta automezzi.
C'era la nebbia e il fondo stradale era scivoloso a causa della pioggia. Un'auto ha sbandato provocando una serie di tamponamenti a catena.
Per fortuna non ci sono state vittime, ma molte vetture sono rimaste danneggiate.
L'autostrada è stata chiusa per più di un'ora.

a) Segna la risposta giusta.

1. L'incidente è avvenuto sull'autostrada
   - [ ] dei Fiori.
   - [ ] del Sole.
   - [ ] Serenissima.

2. È successo vicino a
   - [ ] Bologna.
   - [ ] Modena.
   - [ ] Piacenza.

3. Nell'incidente sono stati coinvolti
   - [ ] più di sessanta automezzi.
   - [ ] una decina di macchine.
   - [ ] circa trenta automezzi.

4. Le cause dell'incidente sono state
   - [ ] il forte caldo.
   - [ ] il ghiaccio e la neve.
   - [ ] la nebbia e il fondo scivoloso.

5. Nell'incidente
   - [ ] una persona è morta.
   - [ ] non ci sono stati né morti né feriti.
   - [ ] sono morte due persone.

6. L'autostrada è stata chiusa
   - [ ] per tre ore.
   - [ ] per più di un'ora.
   - [ ] per mezza giornata.

2 LE PREVISIONI DEL TEMPO

| La nebbia. | La pioggia. | La neve. | La grandine. | Le nuvole. |

Cielo coperto e molto nuvoloso al nord.

Variabile al centro.

Poco nuvoloso o sereno al sud e sulle isole.

Temperatura in diminuzione al nord; stazionaria al centro-sud.

Nebbia in pianura.

Nord → settentrionale   Centro → centrale
Sud → meridionale   Ovest → occidentale
Est → orientale

Che noia!
Piove da quattro giorni.

Che bello! Nevica.

Che freddo!
Siamo a quattro
gradi sotto zero!

Oggi fa un caldo…
Ci saranno almeno
trentacinque gradi.

Che nebbia!
Non si vede niente!

LE PAROLE DEL CLIMA

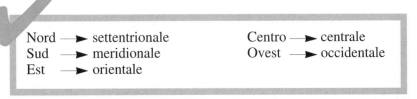

sereno – nuvoloso – variabile – molto nuvoloso o coperto

piove – nevica – fa freddo – fa caldo – c'è la nebbia – c'è umidità – c'è afa – c'è il vento –

c'è il temporale – ci sono i tuoni – ci sono i lampi
la temperatura scende / sale – è diminuita / è aumentata – è sotto zero…

la temperatura minima = la più bassa
la temperatura massima = la più alta

3 Una giornata d'inverno.

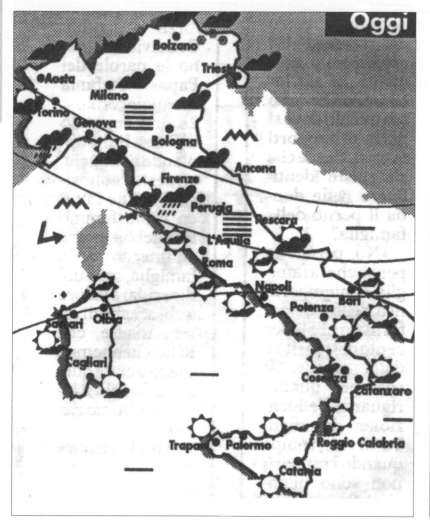

	Min	Max
Bolzano	−5	8
Verona	1	9
Trieste	5	8
Venezia	0	8
Milano	−3	11
Torino	−4	8
Genova	6	11
Imperia	8	13
Bologna	−2	9
Firenze	−4	8
Pisa	−1	10
Ancona	3	8
Perugia	2	5
Pescara	2	4
L'Aquila	−1	2
Roma Urbe	2	10
Roma Fiumic.	4	11
Campobasso	−2	2
Bari	4	9
Napoli	2	11
Potenza	0	3
S. M. di Leuca	6	8
R. Calabria	9	14
Messina	9	12
Palermo	11	13
Catania	6	14
Alghero	4	10

a) Guarda la cartina delle previsioni di un giorno d'inverno e prova a dire che tempo c'è al nord, al centro, al sud. Indica anche:

– dove nevica
– dove piove
– dove il tempo è variabile
– dove è nuvoloso.

b) Osserva le temperature minime di ieri e rispondi.

– Qual è stata ieri la città più fredda?
– Che temperatura c'era in questa città?
– Qual era la temperatura minima più alta?
– Quanti gradi di differenza c'erano tra la città più fredda e quella con la minima più alta?
– Qual era la città con la temperatura massima più alta?

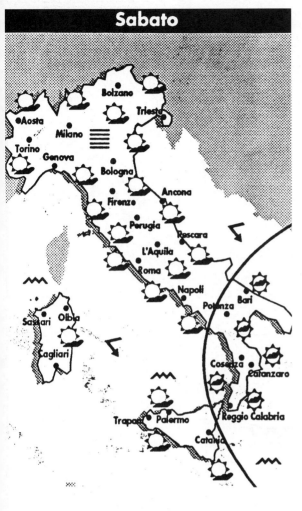

Sabato

a) Indica come sarà il tempo previsto per sabato.

....

....

....

....

....

....

....

....

b) Rispondi alle domande:

1. Qual era ieri la città più calda?
2. Che temperatura c'era?
3. Qual era ieri la città più fredda?
4. Che temperatura c'era?

....

....

....

....

....

....

....

TEMPERATURE
IERI IN ITALIA

	Min	Max
Bolzano	2	17
Verona	6	13
Trieste	9	13
Venezia	8	13
Milano	5	18
Torino	2	16
Genova	11	15
Imperia	12	16
Bologna	8	15
Firenze	8	18
Pisa	10	17
Ancona	7	15
Perugia	8	15
Pescara	4	12
L'Aquila	3	8
Roma Urbe	9	14
Roma Fiumic.	10	16
Campobasso	6	11
Bari	5	16
Napoli	8	15
Potenza	6	12
S. M. di Leuca	10	13
R. Calabria	12	18
Messina	14	18
Palermo	11	17
Catania	6	18
Alghero	5	17
Cagliari	6	18

5 DIVERSI PUNTI DI VISTA.

a) Secondo te che cosa pensano queste persone del sole, della pioggia, della neve?
Scrivi dentro il fumetto.

6 AL RITORNO DELLE VACANZE DI PASQUA.

GIANNI   Allora com'è andata la Pasqua? Che tempo avete trovato?

LUCA   In riviera il tempo era bellissimo. Abbiamo avuto una settimana di cielo azzurro e di sereno. Era tutto fiorito.

LISA   Noi siamo andati in Trentino. C'era ancora la neve; così ho potuto sciare. La sera face-va freddo, ma di giorno si stava bene.

PAOLO   In Sicilia sembrava già estate. Faceva caldo. C'era della gente che faceva il bagno e chi prendeva il sole in costume.

SILVIA   In Toscana il tempo era così così, variabile. Di giorno si stava bene, ma di sera faceva piuttosto freddo. E tu, come sei stato qui a Milano? Qui com'era il tempo?

GIANNI   È stato quasi sempre brutto, grigio, nuvoloso. Pioveva sempre e c'era la nebbia. Solito clima padano!

a) Dove sono andate queste persone durante le vacanze di Pasqua?
Indica il luogo sulla cartina.

1   Ho fatto il bagno e mi sono un po' abbronzata. Una meraviglia!
Sicilia

2   Neve e sole, il massimo! Ho sciato molto.

3   Solito cielo soliti colori. Piove da quattro giorni. Che noia!

4   Il tempo è bellissimo! Cielo blu, fiori e profumi. Incantevole aprile!

5   Clima vario, ma piacevole. La sera fa freschino: porta un golf pesante!

7 QUI PIOVE. E LÌ CHE TEMPO FA?

a) Ascolta le conversazioni e indica a quale disegno corrispondono.

b) Com'è il clima nel tuo paese? Come sono le stagioni?
Racconta e prova a fare dei confronti con la situazione italiana.

Adesso in Italia fa freddo / caldo.
                  piove / nevica.

Nel mio paese, invece ....

La temperatura massima arriva anche a .... gradi.

La minima può arrivare a .... gradi.

c) Dal presente all'imperfetto. Trasforma le frasi.

Oggi   **Ieri**

Oggi piove.   Ieri pioveva.

Nevica.
Fa freddo.
Fa molto caldo.
C'è la nebbia.
C'è il temporale.
Grandina.
Si gela.
La temperatura è sotto zero.
C'è il vento.
C'è afa.
C'è il sole.
È nuvoloso.
È tutto grigio.
È una giornata bellissima.
È sereno, azzurro.

> Sai che tempo fa in montagna?

> Fa molto freddo e c'è mezzo metro di neve.

> Sapete se c'è brutto tempo anche in liguria?

> No, non sappiamo, non abbiamo sentito le previsioni meteorologiche.

Che tempaccio!
Fa un freddo cane!

Che pioggerellina!
È proprio primavera!

Che venticello piacevole!

Che nuvoloni neri!
Mi sa che viene un
temporale.

Una nuvola.

Una nuvoletta.

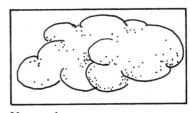

Un nuvolone.

Una strada.

Una stradina.

Una stradona.

Una stradaccia.

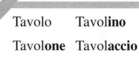

Tavolo	Tavolino
Tavolone	Tavolaccio

a) Prova a modificare le parole per indicare:

– una casa piccola e graziosa   *casina*
– una breve passeggiata
– un piccolo letto
– una piccola macchina
– un telefono portatile
– una brutta lettera
– un brutto carattere
– una brutta figura
– un albergo brutto e sporco
– una grande finestra
– un grande piede.
– un grande gatto
– un ragazzo grande e grosso
– una grande insalata
– il fratello piccolo
– la sorella piccola

14

a) Abbina le due frasi come nell'esempio:

Nevicava tanto, così abbiamo potuto sciare.

1. Il mare era mosso		abbiamo fatto subito il bagno.
2. Faceva molto caldo		siamo tornati a prendere l'ombrello.
3. C'era la nebbia	così	sono volati via i fogli e i giornali.
4. Pioveva a dirotto		le piante e i fiori si sono danneggiati.
5. C'era molto vento		non abbiamo potuto fare la gita in barca.
6. Grandinava forte		gli aerei non sono partiti e ho preso il treno.

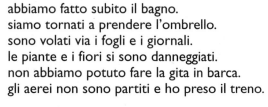

b) Abbina la frase alle vignette e poi completa.

1. Avevo caldo e allora ....

2. Avevo freddo e ....

3. Avevo la febbre e ....

4. Avevo fame e ....

5. Avevo sete e ....

6. Avevo sonno e ....

7. Mi sentivo solo e ....

8. Ero senza lavoro e ....

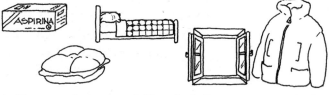

c) Che cosa è successo? Guarda il disegno e cerca in fondo l'espressione adatta per completare le frasi.

Mentre venivo a scuola ....

Mentro dormivo ....

Mentre facevo la doccia ....

Mentre ero in giro per la città ....

Mentre andavo a Bologna ....

Mentre leggevo il libro ....

(ho sentito un rumore – è suonato il telefono – è scoppiato un temporale – si è rotta la macchina – ho pensato a te – ho incontrato un mio vecchio amico)

d) Trasforma le frasi della pagina precedente con i pronomi «lui», «noi» e «loro», come negli esempi.

Mentre veniva a scuola, ha incontrato un suo vecchio amico.

Mentre venivamo a scuola, abbiamo incontrato un nostro vecchio amico.

Mentre venivano a scuola, hanno incontrato un loro vecchio amico.

10 CHE COSA È SUCCESSO A QUESTE PERSONE?

situazioni   avvenimenti

a) Osserva i disegni e racconta cosa è successo, come nell'esempio:

① Finalmente Carla stava facendo un bel bagno dopo il lavoro. Stava pigramente distesa nella vasca, quando ha sentito un rumore in salotto.

Cammino lentamente.

Cammino velocemente.

Ascolto attentamente.

Ascolto distrattamente.

Alcuni avverbi di modo

| felice | felice**mente** | allegro | allegr**amente** | gentile | gentil**mente** |
| triste | triste**mente** | attento | attent**amente** | speciale | special**mente** |

a) Trasforma gli aggettivi, come negli esempi:

(veloce) – velocemente.
(coraggioso) – coraggiosamente.

– faticoso ....

– duro ....

– dolce ....

– cordiale ....

– naturale ....

– tranquillo ....

– nervoso ....

– lento ....

b) Abbina le espressioni che hanno lo stesso significato.

piano	paurosamente
con tristezza	dolcemente
con ordine	lentamente
con paura	silenziosamente
con simpatia	improvvisamente
con dolcezza	tristemente
con violenza	rapidamente
di colpo	ordinatamente
in fretta	simpaticamente
in silenzio	violentemente
con fortuna	tranquillamente

12

a) Completa le frasi usando il verbo al passato prossimo, come nell'esempio:

Mi sentivo solo e ho telefonato a Luisa.

1. Ero senza lavoro ....

2. Said voleva impare l'italiano ....

3. Noi cercavamo un appartamento in affitto ....

4. Sara voleva avere notizie dalla sua famiglia ....

5. Non mi sentivo bene ....

6. Eravamo un po' troppo grassi ....

b) Completa le frasi usando il verbo all'imperfetto, come nell'esempio:

Sono andato al cinema perché a casa mi annoiavo.

1. Carlos è andato dal medico perché ....

2. Ho messo delle altre coperte perché ....

3. Siamo partiti dal nostro paese perché ....

4. Hai perso il treno perché ....

5. Avete rinnovato il passaporto perché ....

6. I miei genitori sono andati a dormire perché ....

14

14

L'Italia ha un clima piuttosto vario secondo la zona e le regioni. Nell'insieme, il clima della penisola è piuttosto mite grazie soprattutto alla posizione geografica e al mare: non vi sono quasi mai temperature troppo rigide, né troppo elevate.

In autunno (settembre/dicembre) la temperatura scende raramente sotto lo zero, ma è più bassa al nord e al centro, e più mite al sud. Piove spesso, ma il problema maggiore è quello della nebbia, che si concentra soprattutto in pianura.

In inverno fa più freddo; al nord e in pianura, di solito, la minima scende fino a quattro/cinque gradi sotto lo zero. Sulla costa e al sud, raramente la temperatura scende sotto lo zero.

La primavera (marzo/giugno) porta un tempo variabile, con pioggia, vento, giornate limpide e calde.

D'estate fa caldo; in certi giorni la temperatura sale fino a trentacinque gradi e oltre. Il caldo diventa pesante soprattutto in pianura e in città a causa della forte umidità e dell'afa.

Marzo è pazzerello: se c'è il sole prendi l'ombrello.
Aprile dolce dormire.
Aprile non ti scoprire.
Agosto moglie mia non ti conosco.
Una rondine non fa primavera.
Santa Lucia il giorno più corto che ci sia.
Per San Benedetto la rondine sotto il tetto.
Sposa bagnata sposa fortunata.
Rosso di sera bel tempo si spera.
Nuvole a pecorelle pioggia a catinelle.

Acqua alta a Venezia

Ondata di gelo al nord

Segnali di primavera

Tornano le nuvole

Violenti nubifragi in Piemonte

Usi dell'imperfetto

– per esprimere un'azione ripetuta nel passato

studi**avo**, cant**avo**, and**avo** …

– per esprimere contemporaneità

Mentre leggevo, Maria sentiva la radio.

– per descrivere al passato

Era un uomo anziano, aveva la barba bianca e gli occhi gentili.

Imperfetto **+** Passato prossimo

Imperfetto: per descrivere le situazioni	Passato prossimo: per indicare fatti e avvenimenti
In quel periodo ero senza lavoro, …	… così sono andato all'ufficio di collocamento.
La settimana scorsa avevo freddo, …	… allora ho acceso il riscaldamento.
Ieri ero triste …	… e ho telefonato a un'amica.

Stavo facendo… quando…

Stavo facendo la doccia, quando hanno bussato alla porta
Stava dormendo, quando è arrivato il postino.

I suffissi - INO -ETTO - ONE - ACCIO

casa – casina – casetta – casona – caasaccia

Alcuni avverbi in - MENTE

lento	lentamente	felice	felicemente	naturale	naturalmente
sereno	serenamente	triste	tristemente	speciale	specialmente
disperato	disperatamene	dolce	dolcemente	gentile	gentilmente

Il verbo SAPERE

so
sai
sa
sappiamo
sapete
sanno

Dove andrai in vacanza?

1 COME SARANNO QUEST'ANNO LE TUE VACANZE?

Già, come saranno le vacanze degli italiani quest'anno?

Saranno più o meno come gli altri anni:

– la maggior parte le passerà al mare

– una minoranza andrà in montagna

– alcuni visiteranno le città d'arte

– pochi andranno in campagna

– pochissimi sceglieranno il lago o la collina

– solo pochi andranno all'estero

Naturalmente quasi tutti insieme, in agosto!

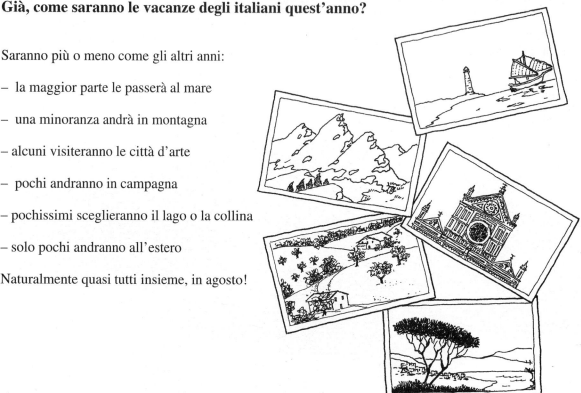

Secondo i dati della Doxa, il 55% degli italiani passa un periodo di vacanza almeno una volta l'anno.
Quali sono i luoghi di villeggiatura preferiti dagli italiani?
La grande maggioranza sceglie naturalmente il mare (57%); una parte minore va in montagna (17%) e nelle città d'arte (16%). Solo il 5% degli italiani va in campagna e pochissimi vanno in collina (2%) o al lago (2%). Gli altri fanno dei viaggi all'estero (2%).

a) Completa la tabella con i dati che mancano.

Gli italiani che vanno in vacanza almeno una volta l'anno scelgono:

- il mare: .... %
- le città d'arte: .... %
- la collina: .... %
- la montagna: .... %
- il lago: .... %
- i viaggi all'estero: .... %

2

MARCO	E tu, Giorgio, dove andrai in vacanza quest'estate?
GIORGIO	Al mare, e tu?
MARCO	Resterò in città per lavoro, ma mia moglie e i figli staranno un mese a casa dei miei in campagna. Io li raggiungerò il sabato o il venerdì sera.
GIORGIO	Niente ferie per te, allora?
MARCO	Quest'anno, purtroppo, no; devo lavorare. Abbiamo comprato la casa e c'è il mutuo da pagare. Andrò in ferie l'anno prossimo.

Dove andrai in vacanza?

a) Completa.

Giorgio andrà al ....

Marco resterà in ....

La moglie e i figli di Marco andranno ....

Marco li raggiungerà ....

Marco quest'anno non fa le ferie perché ....

Andrà in ferie ....

IL FUTURO DEI VERBI

andare	avere	fare
andrò	avrò	farò
andrai	avrai	farai
andrà	avrà	farà
andremo	avremo	faremo
andrete	avrete	farete
andranno	avranno	faranno

b) Scrivi il verbo «andare» al futuro.

(Io, mare) – Andrò al mare

1. Carlo, montagna.
2. Luca, lago.
3. Noi, campagna.
4. Tu, tuo paese.
5. Voi, Venezia.
6. I miei genitori, collina.
7. I tuoi fratelli, estero.
8. Lucia, India.

Attenzione:

al mare, **al** lago

in campagna, **in** città, **in** montagna
in campeggio, **in** tenda, **in** albergo
in collina, **in** pianura
in Egitto, **in** Sicilia, **in** Calabria

a Roma, **a** Casablanca, **a** Pechino

all'estero

c) Completa con i verbi «avere» e «fare», come nell'esempio.

Quando avrò tempo, farò un viaggio.

1. Quando mio marito .... le ferie, ... un giro nella sua città d'origine.

2. Quando (tu) .... il permesso, ... la visita medica.

3. Quando mio figlio .... diciannove anni .... il militare.

4. Quando (noi) .... la patente .... un viaggio.

5. Quando (voi) .... un lavoro regolare .... le ferie come tutti.

6. Quando i miei figli .... la macchina .... le vacanze da soli.

7. Quando (io) .... il permesso di soggiorno .... un viaggio nel mio paese.

8. Quando Marco .... un periodo di vacanza .... un corso di inglese.

3 UN VIAGGIO D'ARTE

Quando avrò un mese di ferie, farò le vacanze che ho sempre sognato.
Farò un viaggio da solo; andrò finalmente a vedere le città d'arte che ho visto solo sui libri.
Prima tappa: andrò in Toscana a Firenze, Siena, Arezzo, Pisa.
Poi andrò in Umbria, a vedere Perugia, Assisi, Gubbio…
Terza tappa: visiterò Roma per una settimana. L'ultima settimana vedrò a Napoli e Pompei.

a) Racconta il progetto di viaggio cambiando le persone.

Quando Said avrà un mese di ferie…

Quando noi avremo un mese di ferie…

4 PRENOTARE UN ALBERGO

La signora Rossi telefona per prenotare una pensione al mare per le vacanze di agosto.

SIGNORA ROSSI	Buongiorno; è la pensione «Miramare»?
SEGRETARIA	Sì, buongiorno.
SIGNORA ROSSI	Vorrei fare una prenotazione per il mese di agosto.
SEGRETARIA	C'è posto solo dall'uno al dodici, poi siamo al completo.
SIGNORA ROSSI	Vanno bene dieci giorni, dal due agosto all'undici compreso. Vorrei una stanza matrimoniale con bagno e una stanza con due letti per i bambini. Mezza pensione, quanto viene a testa?
SEGRETARIA	Sessantamila al giorno per gli adulti e quarantacinquemila per i bambini.
SIGNORA ROSSI	Va bene. Le stanze hanno la vista sul mare? L'albergo è vicino alla spiaggia?
SEGRETARIA	L'albergo è proprio sulla spiaggia, a cinquanta metri. Tutte le stanze sono sul mare.
SIGNORA ROSSI	Benissimo. Devo mandare una caparra?
SEGRETARIA	Sì, deve mandare l'anticipo di un giorno; quindi sono duecentodiecimilalire.
SIGNORA ROSSI	Bene, spedirò un vaglia domani. Grazie e arrivederci.
SEGRETARIA	Arrivederci.

una stanza matrimoniale.

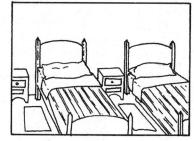
una stanza con due letti.

una singola.

a) Segna la risposta giusta.

1. C'è posto solo
   - [ ] nella seconda metà di luglio.
   - [ ] tutto il mese di agosto.
   - [ ] dall'uno al dodici agosto.

2. La signora Rossi chiede
   - [ ] la mezza pensione.
   - [ ] la pensione completa.
   - [ ] solo la stanza con la colazione.

3. I bambini pagano
   - [ ] come gli adulti.
   - [ ] meno degli adulti.
   - [ ] la metà degli adulti.

4. L'albergo è
   - [ ] lontano dal mare.
   - [ ] a un chilometro dal mare.
   - [ ] a pochi passi dal mare.

6. La signora deve spedire
   - [ ] un vaglia.
   - [ ] una raccomandata.
   - [ ] una cartolina.

> Non farò niente di speciale, resterò a casa.

> Che cosa farete in agosto?

> Anch'io resterò a casa, studierò per un esame.

> Uscirò tutte le sere con gli amici.

> Leggerò molto.

> Io sistemerò la casa.

> Partirò con gli amici per il mare.

15

Passare	Raggiungere	Partire
passerò	raggiungerò	partirò
passerai	raggiungerai	partirai
passerà	raggiungerà	partirà
passeremo	raggiungeremo	partiremo
passerete	raggiungerete	partirete
passeranno	raggiungeranno	partiranno

Attenzione:

mangiare — mangerò, mangerai, mangerà, mangeremo, mangerete, mangeranno

cominciare — comincerò, comincerai, comincerà, cominceremo, comincerete, comincerannno

giocare — giocherò, giocherai, giocherà, giocheremo, giocherete, giocheranno

cercare — cercherò, cercherai, cercherà, cercheremo, cercherete, cercheranno

a) Forma le frasi al futuro, con la preposizione adatta:

(Maria, restare, città) – Maria resterà in città.

1. Marco, mangiare, ristorante.
2. Luisa, studiare inglese, Londra.
3. Noi, raggiungere gli amici, mare.
4. Io, lavorare, ufficio.
5. Tu, giocare, tennis.

6. Voi, tornare, vostro paese.
7. I miei amici, fare il corso di vela.
8. Aziz, cercare un lavoro, Modena.
9. Martina e Linda, cominciare un corso, Torino.
10. Tu e Antonio, partire, Roma.

b) Scrivi i verbi al futuro.

I progetti di Paolo e Michele.

Noi (partire) .... per la Sardegna ai primi di agosto con la moto e la tenda.

Quando (trovare) .... un campeggio in riva al mare, vi (piantare) .... la tenda.

(Nuotare) .... moltissimo, (prendere) .... il sole, (fare) .... pesca subacquea.

(Andare) .... in giro a visitare i posti più belli e (cambiare) .... spiaggia ogni giorno.

Alcune volte (cucinare) .... noi; altre volte (mangiare) .... al ristorante.

La sera (andare) .... in discoteca e (conoscere) .... molte ragazze;

(ballare) .... tutte le sere. (Divertirsi) .... un sacco.

6 PROGETTI PER UNA VACANZA DA MAGGIORENNE.

a) Ascolta e scrivi le parole che mancano.

Quando avrò diciotto .... potrò finalmente passare la vacanza da solo; non

dovrò più andare con i miei .... Farò un lungo ....

Andrò in giro per il .... Mi sposterò con i mezzi pubblici oppure facendo

l' .... Vedrò .... e popoli diversi; conoscerò tanti ragazzi

e ragazze e farò nuove amicizie. Mi porterò solo uno zaino con poche cose.

Rimarrò via dall' .... fin che vorrò e soprattutto fin che avrò ....

b) Che cosa farà Luigi quando avrà diciotto anni?
    Continua a raccontare.

Quando avrà diciotto anni, potrà…

Noi siamo ancora minorenni.

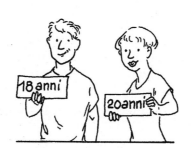

Noi siamo maggiorenni.

sarò
sarai
sarà
saremo
sarete
saranno

Continua tu, come nell'esempio.

Paolo ha 15 anni.   Sarà maggiorenne fra tre anni.

Karim ha 17 anni.   ....

Tu hai 14 anni.   ....

Sara e Rosa hanno 12 anni.   ....

Voi avete 11 anni.   ....

Noi abbiamo sedici anni.   ....

Continua tu.

Quando sarò maggiorenne, prenderò la patente.

Quando   tu   ....

           Said   ....

           noi   ....

           voi   ....

           Sara e Luisa ....

a) Completa la lettera con «fra» o «fa».

> *Rimini, 18 agosto*
>
> *Caro Piero, sono partito una settimana* .... *e non ho potuto salutarti. Adesso sono qui da solo, ma i miei genitori arriveranno* .... *qualche giorno e così, addio libertà! Due giorni* .... *ti ho telefonato, ma non ho mai trovato nessuno. Hai cambiato numero? Io tornerò in città* .... *due settimane e spero di vederti.*
>
> *Ciao. A presto*
> *Gianni*

Le parole del futuro.

fra un mese	fra un anno	l'anno prossimo
il mese prossimo	un giorno	un domani
nel futuro	nel duemila	l'anno venturo
il mese venturo	la settimana ventura	domani
dopo domani	l'estate prossima	l'inverno prossimo
a fine mese	a fine anno	

b) Dal passato al futuro. Trasforma le frasi utilizzando le espressioni di tempo adatte.

(Sono arrivato la settimana scorsa). Arriverò la settimana prossima.

1. Siamo tornati due giorni fa.
2. Due mesi fa Said è andato a Roma.
3. L'anno scorso abbiamo fatto un lungo viaggio.
4. L'estate scorsa avete studiato inglese.
5. Hanno rinnovato i documenti sei mesi fa.
6. Ho cominciato il lavoro il mese scorso.
7. Maria ha cambiato casa quattro mesi fa.
8. Avete firmato il contratto nel 1988.

8 DOVE SARÀ IL MIO LUIGI?

Dove sarà
il mio Luigi?

MADRE   Dove sarà adesso il mio Luigi?

PADRE   Oh, stai sempre a pensare a tuo figlio. È grande, maggiorenne, saprà badare a se stesso!

MADRE   Per te non c'è mai nessun problema. Starà bene? È tardi… dormirà?

PADRE   Ma sì, starà benissimo! Tu ti preoccupi e magari lui non ti penserà nemmeno… Sarà troppo occupato a divertirsi.

Dove sarà		in questo momento?
Cosa farà	Luigi	ora?
Come starà		adesso?
Che cosa starà facendo		

starà bene – starà male – dormirà – mangerà – sarà malato – avrà fame – avrà freddo avrà sonno – avrà la febbre

a) Che cosa farà Maria in questo momento? Prova a fare delle ipotesi.

ballerà, parlerà con gli amici

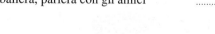

....

....

....

....

....

9 **QUANTO COSTERÀ?**

a) Quanto costeranno? Prova a dire il prezzo di:

– una giacca da uomo elegante.
– un biglietto di prima classe Milano-Roma.
– un viaggio aereo di andata e ritorno Milano-Parigi.
– un costume da bagno intero da donna.
– una valigia di pelle robusta.

b) Quanto tempo ci vorrà? Quante ore ci vorranno? Fai delle ipotesi.

   Ci vorrà un'ora…   Ci vorranno tre ore…

– in aereo	da Roma a Pechino?	– in nave	da Tunisi a Genova?
	da Milano a Rabat?		da Napoli a Capri?
– in treno	da Milano a Palermo?	– in macchina	da Padova a Verona?
	da Torino a Firenze?		da Bologna a Firenze?

c) Quanto peserà? Fai delle ipotesi.

10 PROGETTI, PROMESSE, PROPOSITI

a) I progetti di… (scrivi i verbi al futuro).

Andrò in Italia, guadagnerò un po' di soldi; poi tornerò nel mio paese e mi sposerò.

(Stare) .... in Italia due o tre anni, poi (andare) .... in Canada dove c'è mio fratello e (finire) .... la scuola superiore.

(Girare) .... tutta l'Italia perché voglio conoscere un paese europeo. (Lavorare) .... dove capiterà; poi (decidere) .... dove fermarmi.

Finalmente dopo cinque anni (raggiungere) .... i miei genitori che sono a Firenze. (Lavorare) .... con loro nel ristorante; (studiare) .... la lingua italiana e (cominciare) .... una nuova vita con la mia famiglia.

Prima (partire) .... da solo, poi (fare) .... venire in Italia mia moglie e i miei figli. I miei figli (studiare) .... in Italia. Noi (tornare) .... in Marocco solo per le vacanze d'estate.

b) Immagina di essere al momento della partenza per l'Italia.
Scrivi i tuoi progetti usando il verbo al futuro.

c) Che cosa farà Maria nell'anno nuovo?

> *Caro diario, ecco i miei propositi*
> *per l'anno nuovo:*
> * *non mangerò più dolci,*
> * *dimagrirò almeno cinque chili,*
> * *farò ginnastica,*
> * *studierò inglese,*
> * *farò un viaggio all'estero,*

d) Quali sono i tuoi progetti per il prossimo anno?

e) Che cosa faranno l'anno prossimo queste persone?
Osserva i disegni e rispondi.

Tomas

Giuseppe e Carla

Michele

Said

Mohamed

Sara

Lucia

Carlo e Mario

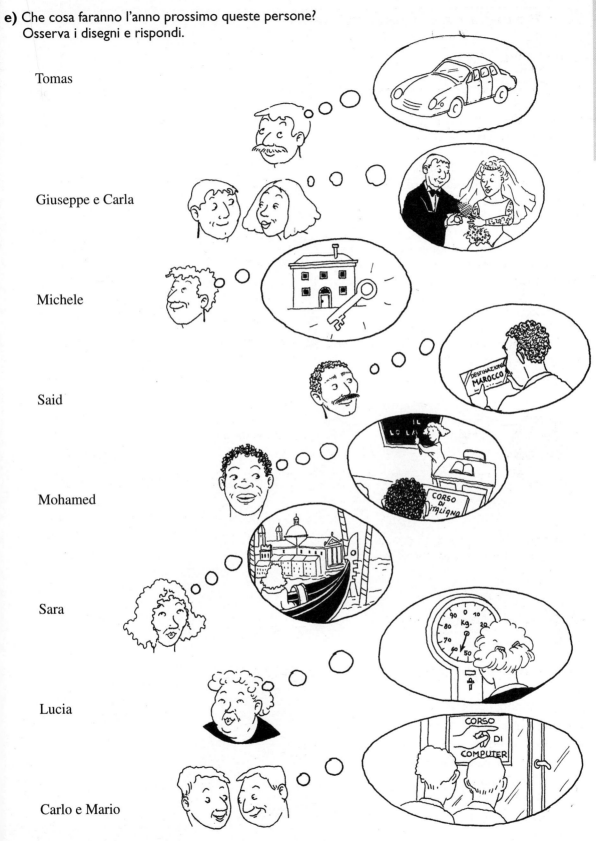

15

In estate milioni di turisti, italiani e stranieri, affollano le lunghissime coste della penisola e delle isole italiane.

Ancora oggi, per molti italiani, la vacanza estiva vuol dire andare al mare.

Quando ha avuto inizio la moda dei bagni di mare, la mania di prendere il sole per farsi la «tintarella»?

Fino agli anni '50 solamente le famiglie benestanti potevano permettersi una villeggiatura marina. La vacanza al mare è diventata di massa negli anni '60, all'epoca del «boom economico».

Da allora, ai primi di agosto, sulle strade italiane si vedono code chilometriche di vetture dirette ai luoghi di villeggiatura.

Una canzone degli anni sessanta.

Per quest'anno, non cambiare
stessa spiaggia, stesso mare
per poterti rivedere
per restare, per ballare insieme a te.
È come l'anno scorso
sul mare col pattino
vedremo gli ombrelloni
lontano lontano
nessuno ci vedrà, vedrà vedrà…

L'Italia non è un paese molto esteso ma ha una grande varietà di *ambienti naturali*: montagne, mari, pianure, colline, laghi, boschi di vario tipo, vulcani attivi, zone paludose ecc.

Purtroppo è anche un paese molto popolato e ricco d'industrie, così la *natura* corre continuamente gravi pericoli.

Per questo motivo, come in altri paesi del mondo, esistono dei *Parchi Nazionali*, per proteggere gli ambienti naturali, la flora (le piante) e la fauna (gli animali).

Fino al 1991 i *Parchi Nazionali* erano solo cinque. In quell'anno ne sono stati istituiti altri tredici. Ma anche ora la superficie di territorio nazionale protetta è solamente del 5 %, ancora meno della media mondiale che è il 6 %.

Dunque pochi parchi e poco estesi ma, senza dubbio, bellissimi.

I camosci che vivono nel Parco nazionale d'Abruzzo sono diversi da quelli delle Alpi; le corna sono più grandi e sono inclinate all'indietro.

Indicativo futuro semplice

Verbi Regolari

Passare	Leggere	Partire	
passerò	leggerò	partirò	**- rò**
passerai	leggerai	partirai	**- rai**
passerà	leggerà	partirà	**- rà**
passeremo	leggeremo	partiremo	**- remo**
passerete	leggerete	partirete	**- rete**
passeranno	leggeranno	partiranno	**- ranno**

Alcuni verbi irregolari

avere	av-	
essere	sa-	**-rò**
dare	da-	
dire	di-	**-rai**
fare	fa-	
stare	sta-	
		-rà
andare	and-	
dovere	dov-	
potere	pot-	**-remo**
sapere	sap-	
vivere	viv-	
		-rete
bere	ber-	
rimanere	rimar-	
venire	ver-	**-ranno**
volere	vor-	

Verbi che finiscono in - CARE / - GARE

cercare	cercherò, cercherai, cercherà, cercheremo, cercherete, cercheranno
pagare	pagherò, pagherai, pagherà, pagheremo, pagherete, pagheranno

Verbi che finiscono in - CIARE / - SCIARE / - GIARE

cominciare	comincerò, comincerai, comincerà, cominceremo, comincerete, cominceranno
lasciare	lascerò, lascerai, lascerà, lasceremo, lascerete, lasceranno
mangiare	mangerò, mangerai, mangerà, mangeremo, mangerete, mangeranno

Quanto costerà?   **Quanto costeranno?**
Quanto ci vorrà?   **Quante ore ci vorranno?**

Di che umore sei?

1 FARE CONOSCENZA

GIOVANNI	Ciao, posso sedermi?
ALICE	Prego. Io sono Alice e tu come ti chiami?
GIOVANNI	Giovanni. Sei qui da sola?
ALICE	No, sono venuta con una coppia di amici. Sono quelli che stanno ballando vicino al bar.
GIOVANNI	Dove abiti?
ALICE	A Poggio, saranno dieci chilometri da qui.
GIOVANNI	Che combinazione! Anch'io abito da quelle parti. Se ti va, posso accompagnarti a casa dopo.
ALICE	Ma…, non so; dopo vediamo.
GIOVANNI	Vuoi bere qualcosa, Alice?
ALICE	Grazie, una spremuta d'arancia.

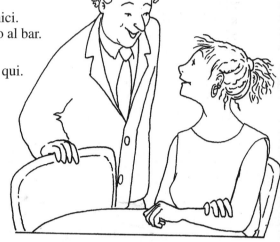

AGENZIA
Viaggi

Giovanni, che cosa c'è stamattina?

Giovanni è in ufficio con un collega

COLLEGA	Giovanni, che cosa c'è stamattina? Mi sembri diverso. Sei più allegro del solito. Che cosa ti è successo?
GIOVANNI	Oggi sono di ottimo umore, sabato sera ho conosciuto una ragazza proprio carina. Non vedo l'ora di rivederla.
COLLEGA	L'hai appena vista e ti sei già innamorato! Un vero colpo di fulmine!
GIOVANNI	Devo telefonarle domani sera. La inviterò al cinema e poi a mangiare una pizza. Che ne dici?
COLLEGA	Mi sembra un'ottima idea! Ma adesso, smettila di sognare occhi aperti e lavora!

Un vero colpo di fulmine!

Ti sei già innamorato?

Non vedo l'ora di rivederla!

Altri modi di dire

Al cuore non si comanda.
Sono al settimo cielo.

Ho il batticuore.
È un amore a prima vista.

a) Rispondi alle domande sul testo.

1. Perché Giovanni questa mattina è più allegro del solito?
2. Dove si sono incontrati Alice e Giovanni per la prima volta?
3. Che cosa dice Giovanni a Alice per:
   – sedersi vicino a lei
   – offrirle da bere
   – chiederle dove abita
   – accompagnarla a casa
   – invitarla al cinema
   – rivederla.
4. Che cosa può rispondere Alice per:
   – accettare
   – rifiutare.

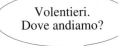

Volentieri.
Dove andiamo?

Ti posso invitare
al cinema sabato
sera?

Mi spiace, non
posso. Ho già
un impegno.

b) Che cosa racconta il giorno dopo Alice alla sua amica Carla? Completa il dialogo.

CARLA	Ciao Alice, com'è andata ieri sera?
ALICE	Benissimo. Ho conosciuto un ragazzo proprio simpatico.
CARLA	....
ALICE	Giovanni.
CARLA	....
ALICE	È alto, con tanti riccioli, simpatico. Lavora in un'agenzia di viaggi.
CARLA	....
ALICE	Mi chiamerà domani sera.
CARLA	Pensi di rivederlo sabato prossimo?
ALICE	....
CARLA	....

c) Il giorno dopo Giovanni telefona ad Alice per invitarla al cinema. Immagina il dialogo tra Alice e Giovanni. Come continuerà la storia, secondo te?

a) Trasforma le frasi come nell'esempio:

(Ti posso confidare un segreto?) – Posso confidarti un segreto?

1. Ti posso offrire qualcosa da bere?
2. Signora Bianchi, le posso portare la valigia?
3. Direttore, le posso chiedere un'informazione?
4. Luca, ti posso chiedere un favore?
5. Ragazzi, vi posso offrire qualcosa?
6. Gli dobbiamo restituire il motorino.
7. A che ora ti devo telefonare?
8. A che ora le devo telefonare?
9. Ti devo dire la verità.
10. Vi devo dire la verità.

	Alcuni verbi con i pronomi indiretti		
a me	**mi**	dare a me, a te…	consegnare
a te	**ti**	dire	donare
a lui	**gli**	portare	confidare
a lei	**le**	telefonare	mandare
a Lei	**Le**	scrivere	spedire
a noi	**ci**	chiedere	prestare
a voi	**vi**	domandare	restituire
a loro	**gli**	regalare	comunicare
a Loro	**Loro/gli**	offrire	inviare

b) Lista delle cose da fare prima di partire. Forma delle frasi come negli esempi:

Devo dirvi una cosa importante.
Devo consegnargli questo pacco.

Devo	A chi?	Che cosa?
dire	a voi	una cosa importante.
consegnare	a Marco	questo pacco.
portare	a loro	questa busta.
spedire	a Maria	il telegramma.
mandare	ai miei familiari	un vaglia
dare	al signor Bianchi	il documento.
inviare	a Lucia	dei fiori.
scrivere	ai miei insegnanti	un biglietto.
prestare	a Giuseppe	la macchina.
restituire	a te	le chiavi

3

a) Trasforma le frasi con i verbi «dare» e «dire» al passato prossimo e al futuro, come nell'esempio:

   (Gli do un bacio) – Gli ho dato un bacio. – Gli darò un bacio.

1. Ti do l'anello. ....

2. Vi diamo appuntamento. ....

3. Ci date i documenti. ....

4. Ti dico la verità. ....

5. Vi diciamo le novità. ....

6. Ci dite un segreto. ....

7. Le dicono una bugia. ....

b) Trasforma le frasi dal presente al passato prossimo, come nell'esempio:

   (Devo telefonarle) – Ho dovuto telefonarle.

1. Voglio dirti la verità.

2. Non possiamo scrivervi.

3. Marco deve darti i suoi documenti.

4. Voi dovete telefonare al direttore.

5. Sara non può pagare il mutuo della casa.

6. Loro non vogliono parlarti.

7. Devo mandargli una raccomandata.

8. Non potete chiedergli notizie.

4 **Che cosa regaliamo?**

a) Inventa delle frasi come nell'esempio:

   (A Lucia piacciono i fiori) – Le regaliamo una pianta.

1. A Marco piace il calcio.

2. A mio marito piace leggere.

3. Ai miei amici piace la musica.

4. A voi piacciono i gioielli.

5. A loro piace cucinare.

6. A te piacciono i dolci.

7. Ai bambini piacciono i cartoni animati.

8. A Michela piace lavorare a maglia.

b) Di che cosa è fatto? Abbina gli oggetti ai materiali.

una collana   di pelle.
una valigia   di pura lana.
un anello   di perle.
una camicia   d'acciaio.
un maglione   d'oro e d'argento.
una pentola   di legno.
un cavallino   di plastica.
un vaso   di bronzo.
un bauletto   di cristallo.
un piatto   di seta.
un secchio   di porcellana.

5 Mi ami?

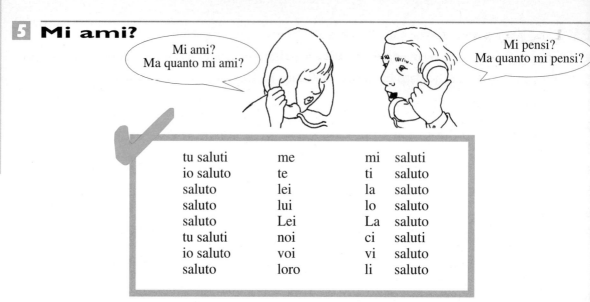

tu saluti	me	mi	saluti
io saluto	te	ti	saluto
saluto	lei	la	saluto
saluto	lui	lo	saluto
saluto	Lei	La	saluto
tu saluti	noi	ci	saluti
io saluto	voi	vi	saluto
saluto	loro	li	saluto

a) Completa con i pronomi adatti, come nell'esempio.

Vedi Carlo? Sì, lo vedo quasi ogni giorno.

1. Vedi ancora Lucia? Non .... vedo più.
2. Qualcuno accompagna le ragazze? Sì, ... accompagno io.
3. Chiami i bambini? Sì, ... chiamo subito.
4. Mi inviti a teatro? .... invito con piacere.
5. Ci portate a casa, per favore? Sì, ... portiamo fra due minuti.
6. Incontri spesso la signora Verdi? .... vedo in palestra ogni giovedì.
7. Ami ancora Luisa? Sì, ... amo più di prima.
8. Chi accompagna i bambini a scuola? .... accompagna sua madre.

b) Continua come nell'esempio:

(Luisa, io) – Chi invita Luisa? La invito io.

1. Carlo, noi
2. Maria e Sara, io
3. Luca e Marco, lui
4. i signori Rossi, tu
5. Marina, voi
6. i miei colleghi, tu
7. i parenti, mia madre
8. il direttore, io

c) Scrivi il testo al passato prossimo.

Oggi vedo Lucia in centro e l'accompagno a fare spese. La porto in un grande magazzino dove fanno dei forti sconti. Forse la convinco a comprare il cappotto rosso che c'è in vetrina da Vestidonna. Alla sera la invito al cinema e poi la porto in pizzeria. Così la tiro un po' su di corda.

Ieri ho visto Lucia…

6 LA POSTA DEL CUORE.

Mi sento molto solo. Mia moglie mi ha lasciato due mesi fa e io non riesco a vivere senza di lei.

Antonio - Brescia

Dopo tre anni di fidanzamento lui si è innamorato della mia migliore amica. Sono disperata.

Luisa - Padova

Nessuna ragazza si accorge di me. Sono brutto, timido, pieno di problemi. Sono giù di morale e in crisi.

Aspetto sempre il principe azzurro e il grande amore. Ho 23 anni e sono delusa e depressa.

Anna - Torino

a) Fai un elenco dei sentimenti e degli stati d'animo positivi e di quelli negativi.

felice – triste – depresso – allegro – su di morale – giù di morale – in crisi – sereno – infelice – contento – deluso – solo – tranquillo – preoccupato – pieno di gioia – entusiasta – disperato

Sentimenti e stati d'animo positivi	Sentimenti e stati d'animo negativi

Con voi mi sento bene, a mio agio. Mi sembra di conoscervi da tanto tempo.

Con loro mi sento a disagio, preoccupato.

b) In quali situazioni e con chi ti senti a tuo agio? In quali situazioni e con chi ti senti a disagio? Racconta.

a) Marco è felice perché… Continua scrivendo altri motivi di tristezza, gioia, felicità…

Marco è felice perché	ha un lavoro che gli piace.
	ha incontrato Lucia.
	ha una bella famiglia.

1. Maria è triste perché

    si sente sola.
    è andato male un esame.

....

2. Said è preoccupato perché

    è stato sfrattato.
    ci sono problemi sul lavoro.

....

3. Li Li e Chen adesso sono contenti perché

    hanno avuto il permesso di soggiorno.
    hanno trovato un appartamento in affitto.

....

4. Luciana è disperata perché

    suo figlio sta male.
    suo marito è disoccupato.

....

Attenzione:	felice	felicità
	allegro	allegria
	triste	tristezza
	preoccupato	preoccupazione
	disperato	disperazione
	depresso	depressione

b) Guarda le espressioni del viso di queste persone e immagina come si sentono, che sentimenti provano e per quali motivi.

Paolo   Sara   Maria e Antonio   Il signor Bianchi

8 UNA COPPIA MISTA.

a) Ascolta la storia di Anna e di Tomas e scrivi le parole che mancano.

Anna e Tomas si sono conosciuti due .... fa a Roma.

Anna .... come impiegata in una banca del centro e Tomas .... legge all'Università. Spesso si trovano a fare uno spuntino nello stesso bar e così si sono incontrati.

Hanno .... a uscire insieme a degli amici il sabato sera; poi hanno cominciato a uscire da soli e hanno scoperto un giorno di essere ....

All'inizio la famiglia di Anna non .... accettare un fidanzato straniero, di un paese e di una religione diversi.

Anche .... di Tomas non erano contenti della scelta del figlio e gli ....
delle lettere piene di consigli e di raccomandazioni.

Ma Anna e Tomas .... a vedersi, ad amarsi, a fare progetti per la loro vita insieme.

Piano piano le famiglie hanno accettato la situazione e la scelta dei figli.

Proprio oggi i due fidanzati hanno firmato i documenti per il matrimonio: si .... in maggio, fra due mesi. Non sanno ancora dove abiteranno, ma, se Tomas troverà un lavoro, staranno a Roma.

b) Che cosa pensi della storia di Anna e di Tomas? Quali sono le difficoltà di un matrimonio misto, secondo te?

c) Un vecchio proverbio italiano dice «Moglie e buoi dei paesi tuoi». Che cosa vuol dire? Che cosa ne pensi?

Altri proverbi italiani.

Chi trova un amico trova un tesoro.
Lontano dagli occhi, lontano dal cuore.
Dimmi con chi vai e ti dirò chi sei.
Chi fa da sé fa per tre.

L'unione fa la forza.
Due cuori e una capanna.
Il primo amore non si scorda mai.

d) Scrivi dei proverbi del tuo paese e spiega il loro significato.

9

Che cosa pensano dell'amore le ragazze di oggi? Ecco i dati di un'inchiesta fatta fra le ragazze italiane fra i 15 e i 24 anni.

Secondo lei, l'amore è soprattutto...	
tenerezza	51,6
compagnia	20,1
passione	12,8
allegria	10,0
avventura	1,8
gelosia	1,5
sesso	0,8
Non sa/non risponde	1,4

(*La Repubblica*, 8 marzo 1994)

a) E per te, che cos'è l'amore?
Commenta le risposte delle ragazze.
Sei d'accordo? Perché?
Non sei d'accordo? Perché?

10

a) Trasforma le frasi al futuro, come nell'esempio.

(Se posso, vengo a trovarti) – Se potrò, verrò a trovarti.

1. Se vieni da me, sono contenta.
2. Se mi scrivi, ti rispondo subito.
3. Se i miei amici vogliono, possiamo andare a trovarli.
4. Se mi ami, sto con te tutta la vita.
5. Se Carlo torna in tempo, andiamo al ristorante.
6. Se venite da noi, vi prepariamo la stanza.
7. Se mio fratello viene in Italia, cerco un lavoro per lui.
8. Se abbiamo un bambino, lo chiamiamo Omar; se abbiamo una bambina, la chiamiamo Sara.

b) Completa le frasi come vuoi tu.

1. Se imparo bene l'italiano ....
2. Se troviamo una casa più grande ....
3. Se Carla prende la patente ....
4. Se c'è bel tempo ....

c) Completa scrivendo la condizione (se...) in queste frasi al futuro.

1. Cambieremo lavoro se ....
2. Porterò in Italia la mia famiglia se ....
3. Said sarà più tranquillo se ....
4. Sara partirà se ....
5. Andremo al mare se ....

DI CHE SEGNO SEI?
La mania dell'oroscopo

Di che segno sei? È una domanda che si sente fare spesso durante le cene fra amici, quando si fanno nuove conoscenze e anche solo per iniziare una conversazione.

La mania dell'oroscopo si diffonde sempre di più e anche chi dice di non crederci, finisce spesso per leggere le previsioni che riguardano il suo segno con la speranza di trovare buone notizie.

Quasi tutte le riviste settimanali e molti quotidiani pubblicano l'oroscopo e vi è anche una linea telefonica che informa sulle previsioni giornaliere, segno per segno.

Questi sono i 12 segni zodiacali.

Segno	Pianeta	Periodo
Ariete	Marte	21 marzo - 20 aprile
Toro	Venere	21 aprile - 21 maggio
Gemelli	Mercurio	22 maggio - 21 giugno
Cancro	Luna	22 giugno - 22 luglio
Leone	Sole	23 luglio - 22 agosto
Vergine	Mercurio	23 agosto - 22 settembre
Bilancia	Venere	23 settembre - 22 ottobre
Scorpione	Marte-Plutone	23 ottobre - 22 novembre
Sagittario	Giove	23 novembre - 21 dicembre
Capricorno	Saturno	22 dicembre - 20 gennaio
Acquario	Saturno-Urano	21 gennaio - 18 febbraio
Pesci	Giove-Nettuno	19 febbraio - 20 marzo

 Ariete 21/3 20/4

Ti verrà fatta una nuova proposta di lavoro. Superati i primi momenti di incertezza, sarai soddisfatto di te stesso e di avere accettato. Organizzerai presto un breve viaggio di lavoro. **Barbanera consiglia:** impara una tecnica di rilassamento.

 Cancro 21/6 21/7

Sentirai il desiderio di staccare dai soliti impegni quotidiani e per questo deciderai di organizzare una breve vacanza. L'idea è ottima e verrà condivisa dall'amato, felice di accompagnarti! **Barbanera consiglia:** la vita è bella. Goditela!

 Bilancia 23/9 22/10

Alcune tensioni con un collaboratore, ti renderanno nervoso ed insicuro sul «da farsi»! Da un'amicizia nata per interessi comuni, potrebbe nascere presto una bella storia d'amore. **Barbanera consiglia:** relax e riposo.

 Capricorno 22/12 20/1

Ti aspetta un viaggio di lavoro. All'estero, la nuova situazione vissuta, ti ispirerà nuove idee ed interessanti possibilità di vita. In amore, respirerai presto un delizioso profumo di fiori d'arancio... **Barbanera consiglia:** tanta allegria!

 Toro 21/4 20/5

Le tue doti organizzative ed imprenditoriali, verranno riconosciute dai tuoi capi e collaboratori e ti consentiranno di ottenere una posizione di prestigio. L'amore, è litigarello... **Barbanera consiglia:** fai tu il primo passo per andare incontro agli altri.

 Leone 22/7 23/8

Se svolgi un'attività indipendente, sarai costretto a lavorare molto e ad assentarti da casa per lunghi periodi. Ne sarai dispiaciuto, ma nello stesso tempo riconoscerai la necessità di sottoporti a piccoli sacrifici. **Barbanera consiglia:** serenità.

 Scorpione 23/10 22/11

Il tuo desiderio di rinnovamento e di libertà, ti porterà ad accettare, senza le dovute riflessioni, una nuova proposta di lavoro. Presto capirai di avere sbagliato e di avere agito frettolosamente. **Barbanera consiglia:** impara da questa lezione!

 Acquario 21/1 19/2

Il lavoro entrerà in una fase di evoluzione che inizialmente ti lascerà insicuro su come organizzarlo, ma che in futuro ti darà profonde soddisfazioni. Felicissima la vita di coppia. **Barbanera consiglia:** salvaguarda la tua salute, diminuisci il numero di sigarette.

 Gemelli 21/5 20/6

Dubbi ed incertezze riguardo i tuoi reali desideri, non ti aiuteranno a raggiungere in breve tempo obiettivi stabili e duraturi nella tua vita... In amore, ti farai sfuggire una buona occasione... **Barbanera consiglia:** un po' di tempo per riflettere.

 Vergine 24/8 22/9

Dovrai prestare particolare attenzione alla salute, perché sarai particolarmente esposto a raffreddori ed influenze. Una dieta ricca di vitamina C, ti aiuterà ad aumentare le tue difese immunitarie. **Barbanera consiglia:** una serata di riposo.

 Sagittario 23/11 21/12

Coloro che sono alla ricerca di un lavoro serio e sicuro dovranno portare pazienza e per il momento accontentarsi di piccoli «lavoretti» qua e là. I genitori saranno importanti per risolvere un problema finanziario. **Barbanera consiglia:** fiducia nel futuro.

 Pesci 20/2 20/3

Le circostanze, favoriranno coloro che desiderano cambiare casa o luogo di residenza. Le coppie più affiatate, stiano attente a non lasciarsi tentare da pericolose e facili avventure extra coniugali... **Barbanera consiglia:** prudenza e saggezza!

L'OROSCOPO CINESE

Secondo l'oroscopo cinese, ogni anno corrisponde a un animale. Vi sono dodici animali che si ripetono ogni dodici anni. Così, il 1984 è stato l'anno del Topo, il 1985, l'anno del Bufalo, e così via…

Data di nascita	Segno
dal 28/1/79 al 15/2/80	Capra
dal 16/2/80 al 4/2/81	Scimmia
dal 5/2/81 al 24/1/82	Gallo
dal 25/1/82 al 12/2/83	Cane
dal 13/2/83 al 1/2/84	Cinghiale
dal 2/2/84 al 19/2/85	Topo
dal 20/2/85 al 8/2/86	Bufalo
dal 9/2/86 al 28/1/87	Tigre
dal 29/1/87 al 16/2/88	Lepre
dal 17/2/88 al 5/2/89	Drago
dal 6/2/89 al 26/1/90	Serpente
dal 27/1/90 al 14/2/91	Cavallo
dal 15/2/91 al 3/2/92	Capra
dal 4/2/92 al 22/1/93	Scimmia
dal 23/1/93 al 9/2/94	Gallo
dal 10/2/94 al 30/1/95	Cane

L'OROSCOPO CINESE

Ecco alcune caratteristiche dei nati nell'anno corrispondente:

 **Topo:** affascinante, socievole, troppo ambizioso.

 Cavallo: amichevole e spiritoso, cambia facilmente di umore.

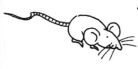 **Bufalo:** lavoratore, leale, ostinato.

 **Capra:** affettuoso e sincero, insicuro.

 **Tigre:** coraggioso, onesto, impulsivo.

 Scimmia: astuto e spiritoso, egoista.

 **Lepre:** tranquillo, raffinato, permaloso.

 **Gallo:** buon parlatore, ordinato, pedante.

 **Drago:** sicuro di sé, pieno di fantasia, impaziente.

 Cane: fedele e altruista, caparbio.

 **Serpente:** intuitivo, può essere un po' pigro.

 Cinghiale: sincero e tollerante, credulone.

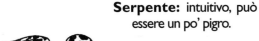

I PRONOMI DIRETTI E INDIRETTI

Pronomi diretti		Pronomi indiretti	
io	me	a me	mi
tu	te	a te	ti
lui	lo, lui	a lui	gli
lei	la, lei	a lei	le
Lei	La, Lei	a Lei	Le
noi	ci	a noi	ci
voi	vi	a voi	vi
loro	li/le	a loro	gli/loro

Uso dei pronomi diretti e indiretti con i verbi modali.

Ti posso offrire / Posso offrirti
La devo accompagnare / Devo accompagnarla
Le ho dovuto dire la verità / Ho dovuto dirle la verità
Non ti ho potuto telefonare / Non ho potuto telefonarti

Indicativo presente, passato prossimo e futuro

Revisione

Subordinate causali

Se + presente e futuro

Se ho tempo, passo a salutarti.
Se non piove, vado al mare.
Se avrò il diploma, cercherò un lavoro in banca.
Se avrai le ferie, potrai tornare in Marocco.

E la
salute
come va?

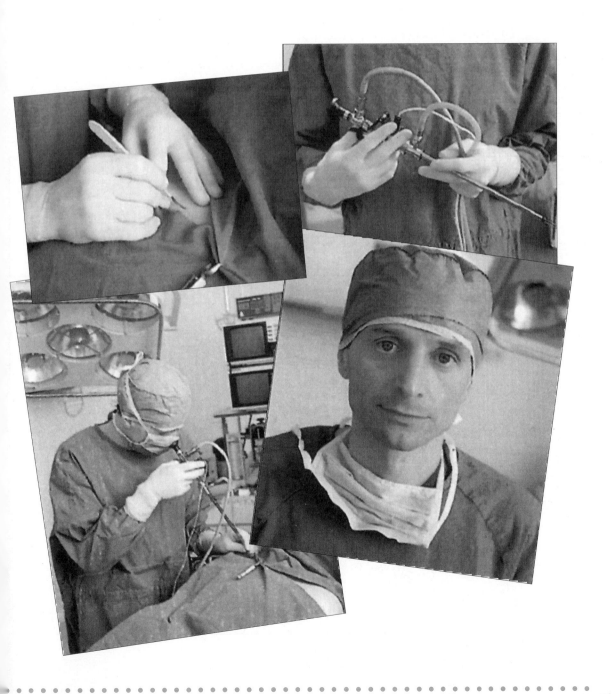

1 HO UN RAFFREDDORE FORTISSIMO.

RITA	Ciao, allora ci vediamo stasera?
GIANNI	Mi dispiace, resto a casa; ho preso un raffreddore fortissimo.
RITA	Ma se l'altro ieri eri un leone…
GIANNI	Beh, oggi invece starnutisco in continuazione, mi lacrimano gli occhi, ho il naso chiuso, la luce mi dà fastidio, la gola mi brucia e ho anche un po' di tosse.
RITA	Sei proprio un cadavere! Hai la febbre?
GIANNI	No, non me la sento.
RITA	Fai bene a stare in casa, andrò io a divertirmi anche per te.

a) Gianni ha un forte raffreddore. Descrivi i sintomi sotto le immagini.

....

....

....

....

....

....

2 QUANTI DOTTORI!

Leggi attentamente i consigli che alcuni amici danno a Gianni che ha il raffreddore.

Misura la febbre.

Bevi molte spremute d'arancia.

Su con la vita, vestiti ed esci con noi.

Dormi il più possibile.

Sta' a letto.

Mangia leggero.

Ma no, va' dal dottore.

Ascolta me, prendi due aspirine, copriti bene, fa' una bella sudata e domani starai meglio!

a) Accanto ai verbi all'infinito scrivi la forma verbale che gli amici di Gianni usano per dargli consigli.

misurare	*misura*	prendere	....
ascoltare	....	mettere	....
mangiare	....	bere	....
andare	....	coprirsi	....
fare	....	dormire	....
stare	....	uscire	....

b) Hai altri consigli da dare a Gianni?

c) Che consigli dai a un tuo amico che ha l'influenza?

parlare	parla
scrivere	scrivi
dormire	dormi
finire	finisci

d) Completa le frasi:

Vuoi rilassarti? (fare) .... un bel bagno caldo.

Sei nervoso, non riesci a dormire? (bere) .... una camomilla.

Attento, fa freddo, (mettere) .... un vestito pesante.

Oggi fa caldo, (mettere) .... un vestito leggero.

Che caldo in questa stanza! (aprire) .... la finestra.

Le correnti d'aria fanno male! (chiudere) .... la porta.

a) Prima di leggere il testo cerca sul dizionario le parole evidenziate.

Il raffreddore è una malattia che colpisce praticamente tutte le persone; qualcuno lo prende anche più volte in un anno. L'inverno e i periodi di passaggio da una stagione all'altra sono i più favorevoli al diffondersi dei raffreddori. Anche l'aria inquinata delle grandi città contribuisce alla loro diffusione.

Le **manifestazioni** (o **sintomi**) di questo **malanno** sono le più diverse e possono essere più o meno acute: starnuti, tosse, lacrimazione degli occhi, naso chiuso, ecc.

Che cosa provoca il raffreddore?

Responsabili sono diversi tipi di **virus** che si trasmettono facilmente da una persona all'altra.

In primavera, in giornate di bel tempo e con dolce temperatura, si vedono persone che sembrano essere raffreddate: occhi rossi e lacrimanti, fazzoletti al naso. Soffrono di un particolare tipo di raffreddore: «il **raffreddore da fieno**». Non sono i virus che causano questo fastidioso disturbo, ma **semi e pollini** di piante ed erbe: vi sono persone che soffrono di **allergia** a essi.

b) Soffri di raffreddori? Descrivi i sintomi più comuni dei tuoi raffreddori:

Quando ho il raffreddore...

....

....

....

....

....

....

....

....

....

....

4 UNA VISITA MEDICA.

MEDICO	Che cosa si sente?
PAZIENTE	Da alcuni giorni ho qualche linea di febbre e un po' di tosse.
MEDICO	Vediamo… Si sieda sul lettino… Apra la bocca… Adesso levi la camicia, tossisca, respiri lentamene…
PAZIENTE	C'è qualcosa che non va?
MEDICO	Direi che ha una bella bronchite. Per essere più sicuri occorre fare degli esami.
PAZIENTE	Quali?
MEDICO	Vada a fare una radiografia ai polmoni. Intanto prenda le medicine che le prescrivo.

Alcuni esami medici:

• radiografia
• analisi del sangue
• elettrocardiogramma
• elettroencefalogramma
• ecografia

a) Dopo aver letto il dialogo, sottolinea gli «ordini» che il dottore dà al paziente e riscrivili qui sotto insieme al verbo all'infinito, come nell'esempio:

(si sieda) – sedersi

....
....
....

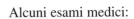

Attenzione:

tornare	torni	**dormire**	dorma	**andare**	vada	**dire**	dica
prendere	prenda	**finire**	finisca	**fare**	faccia	**bere**	beva
				stare	stia	**uscire**	esca

b) Completa queste prescrizioni che un dottore può dare al paziente:

(fare) .... le analisi del sangue.

(tornare) .... da me fra due settimane.

(mangiare) .... in bianco.

(restare) .... a letto due giorni.

(seguire) .... questa cura.

Non (bere) .... alcolici.

Non (uscire) .... di casa fino a domenica.

Non (fare) .... sforzi.

5 LE MEDICINE.

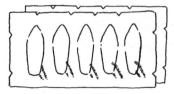

Tachipirina
10 Supposte

Apirina
12 compresse
effervescenti

pomata

sciroppo

collirio

a) Dai delle indicazioni a una persona che ha un problema di salute, usando il «Lei» formale e i verbi: «prendere» e «mettere».

Ho preso un raffreddore.

Accidenti che tosse!

Ho preso il sole e adesso ho una scottatura sulle spalle.

Ho bisogno di una cura ricostituente.

Mi bruciano sempre gli occhi.

Ho la febbre alta.

Prenda una o due compresse di Aspirina.

....

....

....

....

....

b) Consigli utili. Che cosa devo fare per…
Continua come nell'esempio.

dimagrire: (fare)   *fa'* ....   una dieta.

                                       faccia ....

dormire: (bere)   ....   una camomilla prima di andare a letto.

                                       ....

rilassarsi: (stendere)   ....   le gambe.

                                       ....

stare in forma:	(fare)	....	ginnastica regolarmente.
		....	
non ingrassare:	(camminare)	....	molto tutti i giorni.
		....	
mantenere sani i denti:	(lavare)	....	i denti dopo i pasti.
		....	
stare bene di stomaco:	(evitare)	....	di mangiare cibi fritti.
		....	

6 MEDICI SPECIALISTI.

a) Ecco un elenco di medici specialisti. Cerca la traduzione nella tua lingua sul dizionario:

Ginecologo	Dentista	Otorino (Otorinolaringoiatra)
Pediatra	Dermatologo	Oculista
Ortopedico	Cardiologo	Neurologo

b) Da quale specialista vado?
   Dai le indicazioni come nell'esempio:

Il mio bambino è malato.   Vada (va') dal pediatra.

Ho qualche problema agli occhi.   ....

Mi fanno male i denti.   ....

Sono caduto e sento dolore al piede sinistro ....

Ho delle strane macchie sulla pelle delle gambe. ....

Ho problemi al cuore.   ....

Sento molto male dall'orecchio destro.   ....

7 MANTENERSI IN FORMA

Se vuoi sentirti in forma devi condurre una vita sana. Ecco alcuni consigli:

– pratica regolarmente un'attività sportiva
– cammina molto
– non bere alcolici
– non fumare

– dormi almeno sette ore per notte
– non stare sempre seduto
– segui una dieta equilibrata
– non mangiare troppo

a) Dopo avere letto i consigli sottolinea quelli in forma negativa

b) Sei d'accordo con questi consigli? Qui sotto ne puoi scrivere altri e confrontarli con quelli dei tuoi compagni.

Consigli positivi   Consigli negativi

....

....

....

....

....

c) Scegli il consiglio o ordine più adatto per completare le frasi:

Stai dimagrendo,   non bere acqua ghiacciata.
Sei troppo stanco,   non fumare più.
Sei troppo sudato,   non andare in piscina oggi.
Hai sempre la tosse,   non andare al lavoro.
Se non stai bene,   non saltare i pasti.

Mangia!
Sei magro.

Non mangiare!
Sei grasso.

d) Scrivi al negativo i seguenti ordini:

Va' dal dottore.   Ascolta i tuoi amici.   Mangia tutto.

....

Bevi il caffè.   Torna a casa.   Sta' fermo.

....

e) Scrivi in forma positiva i seguenti ordini:

Non ascoltare i dottori! ....   Non correre! ....

Non prendere medicine! ....   Non parlare! ....

Non uscire con gli amici! ....   Non stare a letto! ....

Non cucinare gli spaghetti! ....   Non dire cosa devo fare! ....

f) Metti in forma negativa, come nell'esempio:
(Signor Rossi, prendere, quelle medicine) – Signor Rossi, non prenda quelle medicine.

Signora Maria, (fare) la dieta.   ....

Signor Aziz, (leggere) quel giornale.   ....

Signora Ines, (ascoltare) quella musica.   ....

Signor Bianchi, (stare) lì fermo.   ....

Signor Chen, (tornare) prima delle sei.   ....

Signor Paolo, (fumare) più.   ....

1. la testa
2. la nuca
3. il collo
4. la spalla
5. il busto
6. la schiena
7. il petto
8. la pancia
9. il braccio*
10. il gomito
11. la mano
12. il dito*
13. il fianco
14. la gamba
15. il ginocchio*
16. il piede

17

> **Attenzione!**
> I nomi con l'asterisco (*)
> fanno il plurale in questo modo:
> le braccia, le dita, le ginocchia.

a) Impara le parti del corpo umano. A turno ogni studente della classe dà degli ordini ai compagni, usa uno dei seguenti verbi:

alzare   chinare   piegare
girare,   toccare,   afferrare
portare,   mettere   divaricare.

Esempi: Alzate la mano destra.
        Girate la testa a sinistra.

b) Ordini con il «tu». Continua come nell'esempio.

Alzo il braccio sinistro? Sì, alzalo.

Chino la testa? ....

Piego le ginocchia? ....

Afferro le caviglie? ....

Giro il busto? ....

Incrocio le gambe? ....

Tocco i piedi? No, non toccarli.

Ripeto l'esercizio? ....

Divarico le gambe? ....

Faccio la respirazione? ....

Ruoto il busto? ....

Trattengo il respiro? ....

Unisco le mani? ....

Ordini con il «Voi». Continua come nell'esempio.

Afferriamo le punte dei piedi? Sì, afferratele.

Uniamo le mani? ....

Facciamo l'esercizio? ....

Allungo le braccia? No, ...

Ripetiamo le respirazioni? No, ...

Ordini con il «lei». Continua come nell'esempio.

Quante volte ripeto l'esercizio?   Lo ripeta sei volte.

Afferro le caviglie? Sì, ...

Devo fare la respirazione? ....

Devo ruotare il busto? No, non lo ruoti.

Devo fare la respirazione? ....

Non è necessario andare in palestra per fare ginnastica. Esiste anche la ginnastica «da camera», tutti possono eseguire gli esercizi; l'importante è farli correttamente.

Esercizi per la schiena, le spalle e il collo

circa 4 minuti

Questi esercizi sono indicati per dare sollievo ai muscoli della schiena (zona lombare) ma favoriscono anche il rilassamento delle spalle, del dorso e del collo. Per ottenere i risultati migliori eseguiteli ogni sera prima di andare a dormire. Fate solo gli esercizi adatti a voi. Non sforzatevi.

30 secondi

15 secondi
per ciascuna gamba

appiattire la curva lombare
2 volte
10 secondi ciascuna

3 volte
5 secondi ciascuna

30 secondi
per lato

30 secondi

20 secondi
per ciascun lato

2 volte
5 secondi ciascuna

25 secondi

a) Prova a dare le indicazioni per eseguire correttamente alcuni degli esercizi illustati sopra.

b) Leggi gli ordini dell'istruttore in palestra.
Gli allievi eseguono correttamente? Scrivi «sì» oppure «no» nelle caselle.

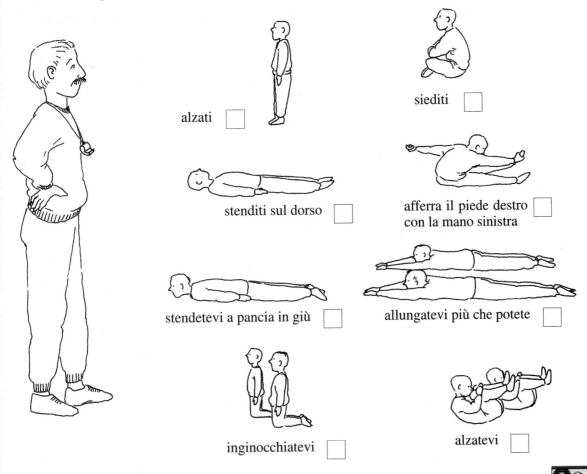

alzati ☐

siediti ☐

stenditi sul dorso ☐

afferra il piede destro ☐
con la mano sinistra

stendetevi a pancia in giù ☐

allungatevi più che potete ☐

inginocchiatevi ☐

alzatevi ☐

c) Un istruttore di ginnastica spiega ai suoi allievi gli esercizi che devono eseguire.
Ascoltalo e scrivi il numero dell'esercizio corrispondente.

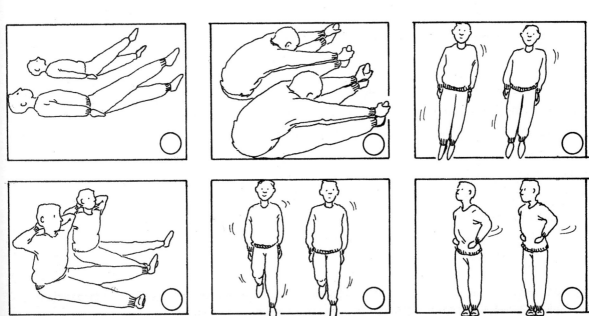

10 DENTRO IL CORPO UMANO.

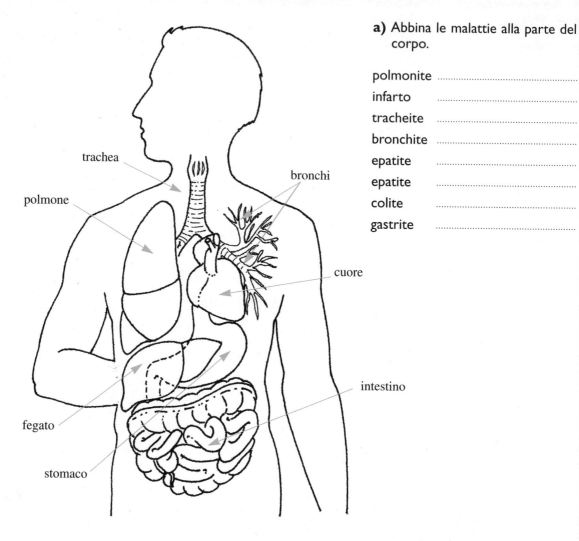

a) Abbina le malattie alla parte del corpo.

polmonite ....

infarto ....

tracheite ....

bronchite ....

epatite ....

epatite ....

colite ....

gastrite ....

trachea

polmone

bronchi

cuore

fegato

stomaco

intestino

11 STRANE MALATTIE.

C'è chi spesso ha **un buco nello stomaco**.

Alcuni soffrono, poverini, perché hanno il **cuore infranto**.

A chi guarda troppo, **gli occhi vanno fuori dalle orbite**.

Se fai un lavoro molto faticoso, alla sera avrai le **ossa rotte**.

Qualcuno invece soffre per la **schiena a pezzi**.

Ci sono persone con **sangue freddo** e altre che **hanno fegato**.

C'è chi **ha naso** e chi **è in gamba**.

Molti **sono in vena** un giorno, ma il giorno seguente no.

a) Con l'aiuto del tuo insegnante e del dizionario trova il significato delle espressioni evidenziate.
Nella tua lingua ci sono espressioni simili? Prova a tradurle in italiano.

Nel secondo rapporto annuale gli specialisti hanno evidenziato le principali cause di mortalità della popolazione.

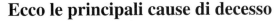

Ecco le principali cause di decesso

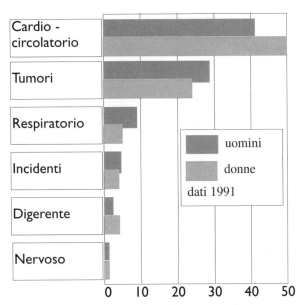

Cardio - circolatorio

Tumori

Respiratorio

Incidenti

Digerente

Nervoso

uomini

donne

dati 1991

0 10 20 30 40 50

Si vive più a lungo ma i tumori sono in aumento. In Italia ci sono tanti medici ma continuano i viaggi della speranza all'estero.

Il check-up del Belpaese

Si muore sempre più di tumori e di malattie dell'apparato cardiocircolatorio, in sostanza le malattie del benessere. Gli italiani però, così dice il rapporto annuale sulla salute, sono un popolo longevo, anzi vivono in media un anno in più rispetto alla media europea. Il Belpaese vanta anche un altro primato: siamo il paese della Comunità Europea con il più alto numero di medici, uno ogni 214 abitanti.

IMPERATIVO
per dare ordini, consigli, indicazioni, prescrizioni

	Respirare	Prendere	Dormire / Finire
Tu	respira	prendi	dormi / finisci
Lei	respiri	prenda	dorma / finisca
Voi	respirate	prendete	dormite / finite

Attenzione!
L'imperativo negativo con il «*tu*» si forma così:

	non respirare	non prendere	non dormire (finire)

Alcuni verbi irregolari:

	Tu	Lei
fare	fa'	faccia
stare	sta'	stia
andare	va'	vada
dare	da'	dia
avere	abbi	abbia
essere	sii	sia
togliere	togli	tolga
venire	vieni	venga
uscire	esci	esca
dire	di'	dica

IMPERATIVO + PRONOMI

Tu	Lei	Voi
mangialo	lo mangi	mangiatelo
alzati	si alzi	alzatevi
non berle	non le beva	non bevetele
prendine	ne prenda	non prendetene

Facciamoci un'opinione

a) Guarda le immagini della pagina a fianco. Vi sono alcuni esempi della stampa italiana: giornali quotidiani, riviste di vario tipo, giornalini a fumetti, giornali di annunci economici.

1) Che cosa sono? Scegli la definizione giusta e formula la frase come nell'esempio:

I quotidiani sono *pubblicazioni che* escono tutti i giorni e riportano notizie di tutti i tipi.

quotidiani	riportano richieste di acquisto, vendita, affitto di case e proposte di lavoro.
riviste	escono periodicamente (settimanalmente, mensilmente o con altra periodicità).
giornalini a fumetti	escono tutti i giorni e riportano notizie di tutti i tipi.
giornali di annunci economici	riportano storie illustrate.

2) Chi sono? Scegli la definizione giusta e formula la frase secondo la struttura riportata sotto.

giornalisti	vendono le pubblicazioni a stampa.
giornalai	stampano le pubblicazioni.
tipografi	scrivono articoli sui giornali.

sono *persone che* ....

b) Guarda le immagini della pagina precedente. Sai completare la tabella?

quotidiani	*La Repubblica*
riviste	
fumetti	
giornali di annunci economici	

c) Con l'aiuto dell'insegnante prova a dire, chi sono i lettori di *Topolino, Annabella, La Gazzetta dello Sport, Secondamano, Quattroruote, La Repubblica?* Forma frasi come nell'esempio:

I lettori di *La Repubblica* sono persone che vogliono informarsi sui fatti del mondo.

d) Quali sono i giornali più diffusi nel tuo paese? Hanno molti lettori? Parlane con i tuoi compagni.

18

Decine di quotidiani escono ogni giorno nelle edicole italiane. La maggior parte sono giornali locali. I quotidiani nazionali diffusi in tutta l'Italia sono pochissimi: Il *Corriere della Sera, La Repubblica* e qualche altro. Tutti vendono solitamente meno di un milione di copie al giorno.

In altri paesi più o meno grandi come l'Italia, per esempio la Gran Bretagna, vi sono quotidiani che raggiungono una tiratura anche di alcuni milioni.

Insomma pare che gli italiani non siano grandi lettori di giornali. Perché? Ecco alcune opinioni:

> Penso che per essere informati sia sufficiente guardare la televisione.

> Credo che i giornalisti scrivano in modo troppo difficile per molti italiani.

> A me pare che comprare un giornale tutti i giorni costi troppo.

> Penso che nei giornali si parli troppo di politica.

a) Confronta le frasi:

– Gli italiani non sono grandi lettori.
 Pare che gli italiani non siano grandi lettori.

– I giornalisti italiani scrivono in modo troppo difficile.
 Penso che i giornalisti italiani scrivano in modo troppo difficile.

– *La Repubblica* vende circa ottocentomila copie al giorno.
 Mi sembra che *La Repubblica* venda circa ottocentomila copie al giorno.

Per esprimere idee non certe «al cento per cento» o opinioni personali si possono usare le seguenti forme:

Pensare (penso, pensiamo…)
Credere (credo, crede…)
Parere (pare)   + che + verbo al modo congiuntivo
Sembrare (sembra)

b) Chi parla? Scrivi il numero corrispondente nelle caselle.

Penso che in Italia la vita costi di più che nel mio paese. ①

Mi pare proprio che Lei abbia una forte bronchite. ②

Ragazzi, penso che siate molto migliorati in matematica ③

Pare che il tempo stia cambiando e che ritorni il freddo, in particolare al Nord. ④

Sembra che tutti i treni arrivino in ritardo di almeno mezz'ora. ⑤

☐ alcuni passeggeri alla stazione

☐ un medico

☐ un cittadino straniero

☐ un metereologo

☐ un insegnante

Congiuntivo presente	
Essere	**Avere**
sia	abbia
sia	abbia
sia	abbia
siano	abbiano
siate	abbiate
siano	abbiano

c) Trasforma i verbi «essere» e «avere» al congiuntivo, come negli esempi:

(Alem ha voglia di tornare in Eritrea) – Mi sembra che Alem abbia voglia di tornare in Eritrea.

1. Tu hai ragione.
2. Voi avete torto.
3. I miei amici hanno poco tempo libero.

(Lin Jun è contenta del suo lavoro) – Mi pare che Lin Jun sia contenta del suo lavoro.

4. Voi siete d'accordo con me.
5. Gli italiani sono rumorosi.
6. Tu sei un po' stanco.

d) Formula delle opinioni come nell'esempio:
(voi ascoltare, poco i consigli dell'insegnante) – Mi sembra che voi ascoltiate poco i consigli dell'insegnante.

1. (Ahmed parlare) abbastanza bene l'italiano.
2. (tu studiare) a sufficienza.
3. (gli italiani gesticolare) molto quando parlano.
4. (Maria mangiare) troppa pasta.
5. (tu leggere) poco.
6. (molti bambini vedere) la televisione per troppe ore al giorno.
7. (Dolores prendere) cinque caffè ogni giorno.
8. (tu dormire) poche ore per notte, meno del necessario.
9. (Aziza non partire) più.
10. (voi preferire) andare al cinema piuttosto che in discoteca.

Congiuntivo presente		
Parlare	**Leggere**	**Dormire**
parli	legga	dorma
parli	legga	dorma
parli	legga	dorma
parliamo	leggiamo	dormiamo
parliate	leggiate	dormiate
parlino	leggano	dormano

3

Mio figlio Mario è proprio un bravo ragazzo!

Io sono un bravo ragazzo.

Attenzione!
La signora Rosa *pensa che* suo figlio Mario sia un bravo ragazzo.
Mario *pensa di* essere un bravo ragazzo.

a) E tu come pensi di essere? Scrivi qualità e difetti.

Io penso di essere...

b) Formula delle frasi come nell'esempio:
Suni pensa di studiare moltissimo.
Mohamed pensa di non parlare ancora bene.

Capisco bene l'italiano.

Studio moltissimo.

Torno al mio paese.

Non parlo ancora bene.

Lavoro troppo.

Cambio lavoro.

4 ## CHE COSA NE PENSI?

a) Leggi l'articolo insieme ai tuoi compagni ed esprimi delle opinioni riguardo al numero degli immigrati in Italia e ai matrimoni misti.

E aumentano i matrimoni misti

Nati in un anno 13.500 figli di immigrati

ROMA – Africano, maschio, celibe, tra i 25 e i 34 anni di età: è questo l'identikit dell'immigrato residente in Italia, che emerge dal rapporto Istat 1992 sulla situazione del paese. Sono 925 mila gli immigrati muniti di permesso di soggiorno, presenti in Italia al 31 dicembre 1992. Circa 45 mila in più rispetto al '91, con un incremento del 5,2%. Un dato ufficiale che tuttavia non tiene conto della quota dei clandestini.
La percentuale maggiore degli immigrati (30,7%) proviene dall'Africa; dal Nord Africa proviene il 19,1%, mentre il 18,5 arriva dagli altri paesi europei. Chi viene in Italia intende rimanerci e lavorare: infatti più del 70% delle immigrazioni regolari riguarda soggiorni di lunga durata.
L'integrazione tra italiani e stranieri aumenta. Da coppie internazionali sono nati in Italia 13.500 bambini nel 1991. La percentuale delle nascite con padre italiano è molto alta, pari a circa il 34 per cento. Aumentano anche i matrimoni (circa 10.500) e sono gli italiani, il 56%, a mostrare maggiore propensione a unirsi con una straniera.

(da *La Repubblica* del 8/5/93)

5 LA TELEVISIONE

– La Tv porta il mondo in casa.
– Ci bombarda di informazioni e crea confusione nella testa della gente.
– Molti programmi televisivi sono istruttivi.
– Ci sono troppi film violenti in TV; i bambini così si abituano alla violenza e diventano anche loro violenti e aggressivi.
– Ci offre divertimento a basso costo.
– I bambini imparano di più guardando la TV che andando a scuola.
– Ci dà notizie in tempi rapidi.
– È una compagnia soprattutto per le persone anziane.

a) Sei d'accordo con queste affermazioni sulla televisione?

b) Riformula le affermazioni precedenti usando l'espressione «mi sembra» oppure «non mi sembra», come nell'esempio:

Mi sembra (non mi sembra) che la TV porti il mondo in casa.

6 GLI ITALIANI SONO AMANTI DELLA TELEVISIONE?

Pare proprio che sia così. Leggi il breve articolo sulle abitudini televisive degli abitanti di Milano che all'ora di cena guardano uno dei tanti telegiornali (*tiggì*).

Tutti a tavola, c'è il tiggì

All'ora di cena la televisione è ormai l'inseparabile compagna delle famiglie milanesi

In quasi il 70% delle cene familiari, quindi, sono i telegiornali ad accompagnare le portate: quella TV sempre accesa nel 12,8 per cento delle tavole impedisce addirittura qualsiasi tipo di conversazione. Ma c'è anche chi al piccolo schermo si ribella. Non sono poi così poche, una su tre più o meno, le famiglie che la sera preferiscono le chiacchere dal vivo a quelle in ventiquattro pollici, meglio se in compagnia di amici e parenti.

(dal *Corriere della Sera* del 8/4/92).

a) Che ne pensi dell'abitudine di tenere acceso il televisore anche mentre si sta mangiando? Discutine con i tuoi compagni.

| Alla televisione il ministro | ha dichiarato
ha affermato
ha detto | che per ora la benzina non aumenterà. |

a) Impara a riferire ciò che altri hanno detto o scritto.

1. «Nel mio prossimo film farò la parte di un marito abbandonato dalla moglie».

Il famoso attore ha dichiarato che nel suo prossimo film farà la parte di un marito abbandonato dalla moglie.

2. «Il mio governo non pensa di aumentare le tasse».

Il capo del governo ha dichiarato che il suo governo non pensa di aumentare le tasse.

3. «Sono molto contento che il mio recente disco sia piaciuto».

Il celebre cantante ha detto che ....

4. «Abbiamo perso perché mancavano due dei nostri migliori giocatori».

L'allenatore della squadra perdente ha affermato che hanno perso perché mancavano due dei loro migliori giocatori.

5) «Stamattina all'alba io e i miei uomini abbiamo arrestato il famoso capomafia Padrino».

Il capo della polizia ....

6) «Chiusura delle scuole il giorno 8 giugno».

Sul giornale c'era scritto che ....

b) Riferisci le frasi come nell'esempio:

(Il giornale, scrivere, domani, scioperare, i conduttori dei treni) – Il giornale scrive che domani sciopereranno i conduttori dei treni.

1. La TV (dire) il Milan (cambiare) allenatore.
2. Tutti i giornali (scrivere) l'anno scorso la disoccupazione (aumentare).
3. Il Presidente della Repubblica (dichiarare) il prossimo mese (fare) una visita di stato in Germania.
4. Alla radio (loro dire) gli affitti delle case (diminuire) leggermente l'anno scorso.
5. Sul giornale (io leggere) domani (esserci) lo sciopero dei mezzi di trasporto urbano.

8

> Quando alla sera ci sediamo finalmente in poltrona davanti al televisore, e diventiamo telespettatori, possiamo scegliere fra una quantità di diversi programmi su diversi canali.
> In Italia i canali sono molti ma solo alcuni hanno una diffusione nazionale. Fra i più seguiti dagli spettatori vi sono i canali della RAI che sono pubblici, Canale 5 e Italia 1 che invece sono privati.
>
> La programmazione è molto varia:
>
> • film e telefilm
> • notiziari o telegiornali
> • programmi di varietà
> • programmi sportivi e culturali
> • documentari
> • cartoni animati
> • dibattiti…

a) Guardi la TV di solito? Che programmi preferisci?

b) Su un giornale qualsiasi cerca la pagina dei programmi televisivi. Quanti canali vi sono segnalati?

18

canale 5

TG 5:
ore 13, 17.59, 20.24

6.35 **TG5 - PRIMA PAGINA.** Attualità
9.00 **TG5 - SPECIALE ELEZIONI POLITICHE '94**
11.30 **FORUM.** Rubrica. Conduce Rita Dalla Chiesa, con il giudice Santi Licheri
14.35 Gioco: **SARÀ VERO?** Conduce Alberto Castagna
15.00 **AGENZIA MATRIMONIALE.** Rubrica. Conduce Marta Flavi
16.30 **BIM BUM BAM.** Contenitore
17.20 Gioco: **GIOCHISSIMO.**
18.02 Gioco: **OK, IL PREZZO È GIUSTO!** Con Iva Zanicchi

19.00 Gioco: **LA RUOTA DELLA FORTUNA**
20.45 Talk-show. **MAURIZIO COSTANZO SHOW - ELETTO-RAMA.** Conduce Maurizio Costanzo con Franco Bracardi
23.00 **MANIACI SENTIMENTALI.** Speciale sul film
23.30 Telefilm: **PAPPA E CICCIA**
0.15 Film: **SHERLOCKO, INVESTIGATORE SCIOCCO** (1986). Regia di Frank Tashlin. Con Jerry Lewis, Zachary Scott, Joan O'Braien ☞ *COMICO* ●●●●
2.00 **TG5 EDICOLA.** Attualità
2.30 Telefilm: **ZANZIBAR**

Le ore della TELEVISIONE

RAIUNO

TELEGIORNALE1: ore 8, 8.30, 9, 9.30, 10, 11, 12.30, 18, 20, 22.55, 0.05

6.00 **UNOMATTINA ELEZIONI.** Attualità
7.35 **TGR - ECONOMIA.** Attualità
10.05 **UNO PER TUTTI - BUONA PASQUA.** Contenitore
12.00 Telefilm: **BLUE JEANS**
13.00 **CARAMELLE.** Un programma abbinato alle lotterie Nazionali. Conduce Gianni Mazza
14.00 **TG1 - MOTORI.** Attualità
14.20 Documentario. **IL MONDO DI QUARK**
15.00 **UNO PER TUTTI.** Contenitore
— — Telefilm: **SARANNO FAMOSI**
15.45 **UNO PER TUTTI - SOLLETICO.** Conducono Elisabetta Ferraccini e Mauro Serio

16.15 Telefilm: **DINOSAURI TRA NOI**
17.30 Telefilm: **ZORRO**
18.45 Telefilm: **IN VIAGGIO NEL TEMPO**
19.40 **MIRAGGI.** Conducono Gaspare e Zuzzurro
20.30 **TG1 - SPORT.** Notiziario sportivo
20.55 Lisbona: **CALCIO. Benfica-Parma.** Coppa delle Coppe (semifinale - andata)
22.50 **AL VOTO AL VOTO.** Attualità
0.35 Documenti: **DSE - SAPERE**
1.05 Film: **LA PRINCIPESSA LISELOTTE** (1966). Regia di Kurt Hoffmann. Con Heidelinde Weis, Harald Leipnitz,

La Radio

1 **6.00-11.30** Giornale radio Rai. Il mondo in diretta; **6.10-11.37** Mattinata. Il risveglio e il ricordo; **6.48** Bolmare; **7.27** Culto evangelico; **7.47** L'oroscopo; **9.10** Mondo cattolico; **9.30** Santa Messa; **12.00-18.00** Pomeridiana; **12-17.30** Giornale radio Rai. Il mondo in diretta; **12.08-17.37** Pomeridiana. Il pomeriggio di Radiouno; **15.50** Tutto il calcio minuto per minuto; **18.00-24.00** Ogni sera; **18.00-23.00** Giornale radio Rai. Il mondo in diretta; **18.07-23.07** Ogni sera. Un mondo di musica; **18.47-20.15** Pallavolando; **19.22** Tuttobasket; **20.18** Bolmare; **20.23** Ascolta si fa sera; **20.28** Zapping; **22.52** Bolmare; **24.00-5.30** Giornale radio Rai. Il mondo in diretta; **0.33-5.45** Ogni notte. La musica di ogni notte.

a) Completa la tabella:

Sei interessato:	canale TV o radio	ora del programma	titolo del programma
a una partita di calcio			
ad avere notizie dal mondo			
all'attualità politica			
a un programma di intrattenimento			
alle automobili			
alle notizie sportive			

10 LITIGI IN FAMIGLIA.

Se la famiglia è numerosa e in casa c'è un solo apparecchio televisivo, possono esserci discussioni e litigi per impadronirsi del telecomando e cercare il programma preferito.

a) Ascolta il dialogo registrato per rispondere alle seguenti domande:

1. Chi sono i personaggi?
2. Che ore sono all'incirca?
3. Quali programmi vogliono vedere i due personaggi?
4. Chi la spunta alla fine?
5. Di quale altro apparecchio si parla oltre al televisore?

IL CONGIUNTIVO PRESENTE

Parlare	Vedere	Dormire	Finire
parli	veda	dorma	finisca
parli	veda	dorma	finisca
parli	veda	dorma	finisca
parliamo	vediamo	dormiamo	finiamo
parliate	vediate	dormiate	finiate
parlino	vedano	dormano	finiscano

Essere	Avere
sia	abbia
sia	abbia
sia	abbia
siamo	abbiamo
siate	abbiate
siano	abbiano

Altri verbi irregolari

Andare	vada,	vada,	vada,	andiamo,	andiate,	vadano
Venire	venga,	venga,	venga,	veniamo,	veniate,	vengano
Dovere	debba,	debba,	debba,	dobbiamo,	dobbiate,	debbano
Uscire	esca,	esca,	esca,	usciamo,	usciate,	escano
Riuscire	riesca	riesca	riesca	riusciamo	riusciate	riescano

Fare	faccia…	
Dare	dia…	
Stare	stia…	questi verbi proseguono poi come i verbi regolari del II e III gruppo. (vedere, dormire)
Potere	possa…	
Volere	voglia…	
Dire	dica…	

Vorrei... Non vorrei...
(speranze, desideri, possibilità)

1 CHI ESPRIME QUESTE SPERANZE?

a) Abbina le immagini alle frasi corrispondenti, come nell'esempio.

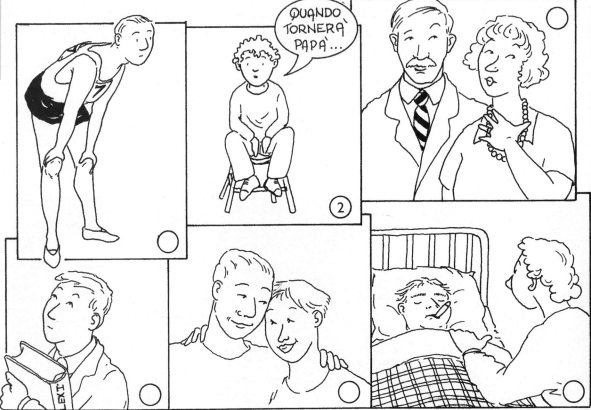

1. Speriamo di sposarci prima della fine dell'anno.
2. Mio papà lavora all'estero, spero che torni presto!
3. Spero di vincere la gara.
4. Speriamo che i nostri figli da grandi trovino un buon lavoro.
5. Spero che mio marito guarisca presto e bene da questa malattia.
6. Spero di superare l'esame.

b) «Finché c'è vita c'è speranza» è un proverbio italiano che invita ad avere sempre speranza per il futuro. Nella tua lingua c'è qualche proverbio o modo di dire sulla speranza? Scrivine alcuni.

....

....

Attenzione!

| sperare + di + infinito | spero di stare bene |
| sperare + che + congiuntivo | Spero che tu stia bene. |

c) Forma delle frasi con il verbo «sperare» come negli esempi:

(io / io **cambiare** lavoro) – Io spero di cambiare lavoro.
(noi, la situazione economica, migliorare) – Speriamo che la situazione economica migliori.

1. (io) / io (ritornare) presto al mio paese
2. L'insegnante / gli studenti (imparare) bene l'italiano
3. Ahmed / Ahmed (avere) presto il permesso di soggiorno
4. Noi / noi (trovare) una casa in affitto
5. (io) / i miei familiari (stare) bene
6. (io) / quest'anno (essere) migliore di quello passato
7. (noi) / il tempo (diventare) bello
8. Tutti i genitori / i propri figli (avere) una vita felice
9. Che cosa (tu) / tu (fare) nella vita

d) Scrivi alcune tue speranze.

....
....
....

e) Ecco dei pezzi di lettere diverse. Completa con i seguenti verbi al congiuntivo presente o all'infinito:

avere, stare, potere, venire, succedere, restare, riuscire.

Spero che tu .... bene e
che la tua famiglia ....
a superare gli attuali momenti di
difficoltà.

Mi auguro che non ....
niente di spiacevole prima delle
vacanze così che voi ....
venirci a trovare l'estate prossima.

Mi sono trovato bene nella tua
famiglia.
Spero di .... la possibilità
di tornare ancora da voi un giorno.

Caro papà,
bisogna proprio che tu ....
a casa nostra qui a Milano. I tuoi
nipoti ti aspettano con impazienza
e sperano che tu ....
qui a lungo.

2 CADE UNA STELLA, ESPRIMI UN DESIDERIO!

Nelle calde notti d'estate è possibile talvolta osservare qualche stella cadente che passa velocissima nel cielo. Si dice che se in quell'attimo si esprime un desiderio esso si realizzerà senz'altro.

«(tu) *Vorresti* visitare la Cina?».
«Mia figlia *vorrebbe* un cane, ma la nostra casa è troppo piccola».
«Noi *vorremmo* imparare a giocare a tennis».
«Voi, *vorreste* andare a ballare?».
«Essi *vorrebbero* avere un lavoro meno faticoso».

a) Esprimi alcuni tuoi desideri: Vorrei…

b) Formula delle domande ai tuoi compagni: Vorresti…?
Vorreste…?

c) Completa:

Io mangerei un panino, e tu cosa mangeresti?

1. Io visiterei l'America, e tu che paese .... ?
2. Io leggerei un libro, e tu cosa .... ?
3. Io dormirei sempre 10 ore, e tu per quante ore .... ?
4. Noi abiteremmo volentieri in Germania, e voi dove abitereste .... ?
5. Noi giocheremmo a pallone, e voi a cosa .... ?
6. Noi prenderemmo una birra fresca, e voi che bevanda .... ?
7. Noi partiremmo domattina presto, e voi quando .... ?

d) Trasforma le frasi al plurale:

(Gianni vorrebbe un caffè) – Gianni e Maria vorrebbero un caffè.

1. Luigi cambierebbe lavoro.
2. Stasera Alex starebbe a casa.
3. Alem uscirebbe con gli amici.
4. Mio figlio partirebbe subito.
5. Carla verrebbe al mare con me.
6. Aziz andrebbe in Marocco per un mese.

3 PROBLEMI DI FAMIGLIA: QUANDO DESIDERI E PROGETTI SONO DIVERSI.

Tutti gli anni la stessa storia. Quando arriva il momento di decidere per le vacanze, in famiglia scoppia la guerra, non siamo mai d'accordo.

Io, il capofamiglia, sono amante della montagna; ci abiterei tutto l'anno e perciò passerei quei pochi giorni di ferie sulle Dolomiti. Mia moglie invece farebbe volentieri dei viaggi all'estero. Ogni anno visiterebbe un paese diverso; insomma andrebbe qua e là in giro per il mondo.

I nostri due figli invece sono d'accordo fra loro, passerebbero tutte le loro vacanze su una spiaggia in riva al mare e non si sposterebbero di là fino all'ultimo minuto dell'ultimo giorno.

Allora parliamo e litighiamo ma alla fine bisogna pur decidere!

a) Secondo te, sapresti indovinare che vacanza farà questa famiglia?

Nel testo sottolinea i verbi al condizionale presente.

b) Che cosa desiderano? Completa con i verbi al condizionale presente.

Il condizionale presente

camminare	raccogliere	partire
camminerei	raccoglierei	partirei
cammineresti	raccoglieresti	partiresti
camminerebbe	raccoglierei	partirei
cammineremmo	raccoglieremmo	partiremmo
camminereste	raccogliereste	partiresti
camminerebbero	raccoglierebbero	partirebbero

Il capofamiglia

In montagna io .... moltissimo, ... i funghi nei boschi e .... aria pulita e fresca.

camminare
raccogliere
respirare

La moglie

partire
visitare
comprare

Quest'anno io .... per la Cina. .... la grande muraglia e altri antichi monumenti. .... vestiti di seta che là costano poco.

I figli

Al mare noi .... le vacanze con i nostri amici; .... bagni e tuffi in continuazione e .... castelli di sabbia. .... un mondo!

passare
fare
costruire
divertirsi

Lo sapevi che in Italia c'è una vera e propria passione per i giochi della fortuna?
Ogni anno milioni di persone partecipano a **Lotterie Nazionali, Totocalcio, Enalotto, Totip** e **Lotto**. Sperano così di vincere e di realizzare sogni e desideri con il denaro dei premi.

1) Cagliari-Juventus	(0-1)	2
2) Cremonese-Reggiana	(1-1)	X
3) Napoli-Milan	(1-0)	1
4) Roma-Lecce	(3-0)	1
5) Sampdoria-Foggia	(6-0)	1
6) Udinese-Piacenza	(2-2)	X
7) Cesena-Ancona	(0-0)	X
8) Fiorentina-Bari	(0-0)	X
9) Palermo-Brescia	(2-2)	X
10) Pisa-Ravenna	(0-0)	X
11) Verona-Modena	(0-0)	X
12) Spezia-Prato	(0-0)	X
13) Novara-Crevalcore	(2-1)	1

■ **Quote – Ai «13» (147) vanno lire 96.828.000; ai «12» (4524) vanno lire 3.146.000. Il montepremi è stato di 28.467.598.044 lire.**

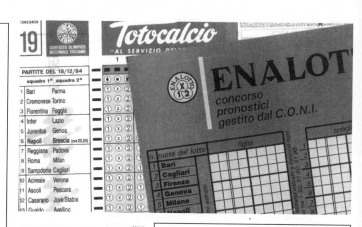

Totocalcio: i risultati e i premi di una domenica.

ENALOTTO

①	BARI	88	2
②	CAGLIARI	23	1
③	FIRENZE	12	1
④	GENOVA	17	1
⑤	MILANO	83	2
⑥	NAPOLI	66	2
⑦	PALERMO	26	1
⑧	ROMA	37	X
⑨	TORINO	90	2
⑩	VENEZIA	12	1
⑪	NAPOLI 2ª	44	X
⑫	ROMA 2ª	32	X

Enalotto

222	1X2	12X	1XX

Montepremi
L. 1.417.373.020

Le quote

Ai «12»	L. 80.992.000
Agli «11»	L. 1.687.000
Ai «12»	L. 147.000

a) Rispondi alle domande.

1. Qual è il primo premio della lotteria Italia?
2. Quando è l'estrazione della lotteria?
3. Quanto costa un biglietto della lotteria?
4. Nella schedina del Totocalcio ci sono i risultati delle partite di quale sport?
5. Quanto hanno vinto i giocatori che hanno fatto 13 al Totocalcio?
6. E quelli che hanno fatto 12 all'Enalotto?
7. In quale città è particolarmente diffuso il gioco del lotto?
8. Qual è il modo più «tradizionale» per scegliere i numeri del Lotto?

5 SE VOI VINCESTE ALLA LOTTERIA CHE COSA FARESTE?

Se io **vincessi** partirei subito per un viaggio attorno al mondo!

Se noi **vincessimo** compreremmo un bell'appartamento e metteremmo in banca i soldi rimanenti.

Se loro **vincessero** aiuterebbero i loro parenti al paese.

Se tu **vincessi** tanti soldi non sapresti che fare… Ci dovresti pensare molto bene.

Magda ha detto che se lei **vincesse** smetterebbe subito di lavorare.

a) Se tu vincessi due miliardi alla lotteria, che cosa faresti?

....

....

b) Completa le frasi con il verbo «vincere» al congiuntivo imperfetto.

1. Se tu ....molti soldi al Totocalcio cosa faresti?

2. Se Maria ....alla lotteria sarebbe molto contenta.

3. Che cosa fareste se ....100 milioni?

4. Se i miei amici ....al Lotto sarebbe la prima volta in vita loro.

c) Trasforma le affermazioni al congiuntivo e al condizionale, come nell'esempio:

(Sono il capo del governo e cerco di risolvere il problema della disoccupazione) – Se fossi il capo del governo cercherei di risolvere il problema della disoccupazione.

1. Sono ancora un bambino e non lavoro.

2. Tu sei un vero amico e mi aiuti.

....

3. Maria è pronta e possiamo partire.

....

4. Siamo cittadini italiani e abbiamo meno problemi degli stranieri.

....

5. Siete gentili e mi date una mano a finire il mio lavoro.

....

6. Gli studenti sono attenti in classe e imparano molto.

....

> **Congiuntivo imperfetto**
>
> **Essere**
>
> fossi
> fossi
> fosse
> fossimo
> foste
> fossero

Congiuntivo imperfetto

mangiare	avere	finire
mangiassi	avessi	finissi
mangiassi	avessi	finissi
mangiasse	avesse	finisse
mangiassimo	avessimo	finissimo
mangiaste	aveste	finiste
mangiassero	avessero	finissero

d) Completa le frasi con il verbo al congiuntivo imperfetto.

1. Potresti dimagrire se (seguire).. una dieta.
2. Non saresti così magro se (mangiare) .... di più.
3. Impareresti più in fretta se (studiare) .... con maggior impegno.
4. I cittadini sarebbero più contenti se (pagare) .... meno tasse.
5. Giochereste al Lotto se (sognare) .... i numeri.
6. Apriremmo un nostro ristorante se (avere) .... un po' di soldi.
7. Saremmo più contenti se (potere) .... trovare una casa meno cara.
8. Magdi e Aziza sarebbero veramente felici se i loro genitori (venire) .... in Italia.

fare	dire	dare	stare
facessi	dicessi	dessi	stessi
....	....	....	....

e) Completa le frasi.

1. Ti comprerei la macchina, se tu (fare) .... la patente.
2. Verrei da te, se (stare) .... meglio.
3. Sareste più tranquilli, se (dire) .... la verità.
4. Sarebbe meglio per loro, se mi (dare) .... retta.
5. Impareremmo bene l'italiano, se (stare) .... tanto tempo in Italia.
6. Guadagnerebbe di più, se (fare) .... un altro lavoro.

6

a) Ascolta la cassetta, sentirai delle frasi ipotetiche. Quale dei seguenti personaggi potrebbe dirle o pensarle?
Scrivi il numero della frase nella casella del personaggio corrispondente.

☐ dei bambini in casa. ☐ un vigile.
☐ un signore molto anziano. ☐ una persona che ha comprato il biglietto di una lotteria.
☐ una donna incinta. ☐ un ragazzo di sedici anni.

7 FORTUNA - SFORTUNA

a) Sei d'accordo con le seguenti affermazioni? Discutine con i tuoi compagni.

– Ci sono persone che nascono fortunate.
– Ogni persona costruisce da sé la propria fortuna.
– Non esiste la fortuna, c'è solo il caso.
– Ci sono oggetti che possono portare fortuna o proteggere dalla sfortuna (per esempio cornetti, ferri di cavallo e amuleti vari).
– Ci sono azioni o cose che portano sfortuna, come rompere uno specchio, rovesciare il sale, ecc.

7 UNA STORIA CINESE

Ecco una storia cinese molto curiosa. Non c'è il titolo. Leggila e cerca di capirne il significato, poi trova un titolo e confrontalo con quelli scelti dai tuoi compagni.

....

Un contadino di nome Se Ong aveva un cavallo. Una mattina, come al solito, Se Ong lo <u>fece</u> uscire dalla stalla e lo <u>lasciò</u> libero attorno alla casa. Ma, mentre il contadino era occupato in alcuni suoi lavori, il cavallo se ne andò e non tornò più.
Quando a sera Se Ong si accorse che l'animale mancava, si disperò tanto da mettersi a piangere di rabbia. Ma tre giorni dopo il cavallo tornò alla fattoria insieme a un altro cavallo. Stavolta Se Ong si rallegrò per il guadagno imprevisto.
Allora suo figlio, un giovane vivace e curioso, andò nella stalla a vedere il nuovo cavallo e cercò di montarlo. Ma il cavallo era selvaggio, si imbizzarrì e fece cadere il giovane che si ruppe una gamba.
Di nuovo Se Ong si mise a piangere a calde lacrime per lo sfortunato incidente successo al figlio che era il suo unico aiuto nel lavoro dei campi.
Proprio il giorno dopo il governo ordinò che tutti i giovani del paese si presentassero al comando dell'esercito e partissero soldati perché era cominciata la guerra.
Durante la battaglia tutti i giovani del villaggio di Se Ong morirono, ma non suo figlio che era rimasto a casa a causa della gamba rotta.
Allora Se Ong pensò allo scampato pericolo e fu di nuovo contento.

La storia che hai appena letto è narrata al passato. Però vi si usa un tempo verbale del passato che si chiama **passato remoto.**
È un tempo che nell'italiano parlato si usa raramente ma che si può trovare invece nelle fiabe, nei testi storici e nelle narrazioni come la storia cinese che hai letto.

Impariamo a riconoscere il passato remoto:
sottolinea nella storia i verbi al passato remoto e poi scrivili all'infinito, come negli esempi:

fece ⟶	fare	si accorse	....
lasciò	lasciare	si disperò	....
andò	andare	si rallegrò	....
tornò	....		....

19

«Gratta e vinci» è la lotteria nata più recentemente. I biglietti si comprano dal tabaccaio o nelle edicole, costano duemila lire. Si gratta via la vernicetta per scoprire che cosa c'è sotto: si vince se si trovano una o più immagini di vele. I premi vanno da duemila lire a 100 milioni a seconda del numero delle vele disegnate sul biglietto. La novità è che le vincite fino a 50.000 lire vengono pagate subito dal tabaccaio che ha venduto il biglietto.

Tre milioni di biglietti al giorno non bastano a esaudire le richieste. E da giugno il Poligrafico raddoppia.

"Gratta e vinci" che passione
I tabaccai: "Più biglietti o scioperiamo"

Perché questa nuova lotteria ha un successo così grande? Ecco il parere di uno psicologo

Già, come mai questa euforia? «Perché c'è voglia di gioco – dice lo psicologo Fulvio Carbone – e non impora se non vince molto. La gente compra «Gratta e vinci» perché si sente un po' protagonista, perché il premio è immediato, perché si diverte. È una piccola emozione. Se vinci diecimilalire al mattino, vai a lavorare anche più contento, no?

Un gioco tradizionale: il Lotto

È anche molto diffuso specialmente in alcune città, per esempio Napoli. Durante la settimana i giocatori «puntano» (cioè indicano sulla schedina) dei numeri, al massimo cinque, sulle ruote di diverse città italiane. Al sabato c'è l'estrazione dei numeri vincenti. Ci sono giocatori «scientifici» che seguono di settimana in settimana l'uscita dei numeri e puntano calcolando le probabilità. Ma il modo più tradizionale e popolare è quello di puntare i numeri visti o sentiti durante i sogni notturni. Non è necessario sognare direttamente i numeri; infatti a cose, persone, animali corrispondono dei numeri: 16 il sedere, 47 il morto che parla, 51 la fattoria, 78 la donna allegra, 19 le risate, 77 le gambe delle donne, 90 la paura… Se tu sognassi una donna allegra che ride in una fattoria dovresti correre subito a puntare la «terna» 78-19-51.

Lotto					
Bari	73	26	55	68	84
Cagliari	68	6	82	71	51
Firenze	87	54	9	40	30
Genova	5	47	19	15	43
Milano	45	29	61	41	47
Napoli	69	35	72	52	89
Palermo	5	71	14	68	28
Roma	61	49	29	16	28
Torino	59	29	82	58	45
Venezia	16	66	18	48	90

Lotto: i numeri sorteggiati in un sabato qualsiasi.

Espressioni e verbi che reggono il congiuntivo

sperare
 pensare   che
 credere
	è bene
	              che
	 è meglio
		parere
		            che
		 sembrare
			bisogna
			            che
			 occorre

Congiuntivo imperfetto

Verbi regolari

I) lavorare ➔ lavora-

II) perdere ➔ perde-

III) uscire ➔ usci-

-ssi
-ssi
-sse
-ssimo
-ste
-ssero

Verbi irregolari:

essere ➔ fossi…

dire   dicessi…

dare   dessi…

fare   facessi…

Condizionale presente

Verbi regolari

1) cambiare ➔ cambie-

2) leggere ➔ legge-

3) partire ➔ parti-

-rei
-resti
-rebbe
-remmo
-reste
-rebbero

Attenzione! I verbi che finiscono in «-ciare» e «-giare» (baciare, mangiare, ecc) cambiano in «-cerei» e «-gerei» (bacerei, mangerei). I verbi che finiscono in «-care» e «-gare» (giocare, pagare, ecc.) prendono la lettera «h»; «-cherei», «-gherei» (giocherei, pagherei, ecc.).

Alcuni verbi irregolari

avere ➔	av-	
essere	sa-	-rei
andare	and-	
dare	da-	-resti
fare	fa-	
stare	sta-	
		-rebbe
bere	ber-	
dovere	dov-	
potere	pot-	-remmo
rimanere	rimar-	
sapere	sap-	
vivere	viv-	-reste
volere	vor-	
dire	dir-	-rebbero
venire	ver-	

Verbi che finiscono in - CIARE / - SCIARE / - GIARE

cominciare   comincerei…

lasciare   lascerei…

mangiare   mangerei…

Verbi che finiscono in - CARE / - GARE

cercare   cercherei…

giocare   giocherei…

pagare   pagherei…

19

INDICI

INDICE ALFABETICO

INDICE